PERDOAR

O QUE VOCÊ

NÃO PODE

ESQUECER

Copyright © 2020 Lysa TerKeurst.
Licença exclusiva para publicação em português brasileiro cedida à nVersos Editora. Todos os direitos reservados. Publicado originalmente na língua inglesa sob o título: *Forgiving what you can't forget : discover how to move on, make peace with painful memories, and create a life that's beautiful again*. Publicado pela Editora Thomas Nelson um selo da Editora HarperCollins Christian Publishing, Inc.

Diretor Editorial e de Arte: Julio César Batista
Produção Editorial: Carlos Renato
Preparação: Mariana Silvestre de Souza
Revisão: Maria Dolores Delfina Sierra Mata
Imagem da Capa: © Nicole Mason/Stocksy

Dados Internacionais de Catalogação na Publicação (CIP)
(Câmara Brasileira do Livro, SP, Brasil)

Terkeurst, Lysa
  Perdoar o que você não pode esquecer: descubra como seguir em frente, fazer as pazes com memórias dolorosas e criar uma vida bela de novo / Lysa Terkeurst ; tradução Cristina Yamagami.
  São Paulo : nVersos, 2021.
  Título original: Forgiving what you can't forget : discover how to move on, make peace with painful memories, and create a life that's beautiful again
  ISBN 978-65-87638-41-6
  1. Perdão - Aspectos religiosos - Cristianismo I. Título.

21-67484   CDD-234.5

Índice para catálogo sistemático:
1. Perdão: Doutrina cristã : Cristianismo

Cibele Maria Dias - Bibliotecária - CRB-8/9427

A nVersos Editora e a autora não pretendem prestar serviços e orientação profissional ao leitor. As ideias, procedimentos e sugestões contidos neste livro são substituem consultas com o seu médico ou terapeuta. Todas as questões relativas à sua saúde requerem supervisão médica. A autora e a nVersos Editora se isentam da responsabilidade por qualquer perda ou dano supostamente decorrente de qualquer informação ou sugestão neste livro.

1ª edição – 2021
Esta obra contempla o Acordo Ortográfico da Língua Portuguesa
Impresso no Brasil - *Printed in Brazil*
nVersos Editora: Rua Cabo Eduardo Alegre, 36 - CEP: 01257060 - São Paulo – SP
Tel.: 11 3382-3000
www.nversos.com.br
nversos@nversos.com.br

LYSA TERKEURST

PERDOAR O QUE VOCÊ NÃO PODE ESQUECER

Descubra como seguir em frente,
fazer as pazes com memórias dolorosas
e criar uma vida bela de novo

TRADUÇÃO CRISTINA YAMAGAMI

nVersos

PROCURE AJUDA SE PRECISAR

Querido amigo,

Este livro pode ser exatamente o que você precisava para passar por um período difícil de sua vida ou processar uma dor profunda. Mas também pode ser só um ponto de partida para a sua cura. Eu queria deixar claro que não sou uma terapeuta nem uma orientadora licenciada e este livro não substitui uma terapia ou aconselhamento espiritual. Em algumas situações difíceis da vida, você pode se beneficiar muito da ajuda de um orientador espiritual. Seja sincero consigo mesmo e, se precisar de ajuda especializada, não deixe de procurá-la. Sou muito grata aos profissionais que me acolheram e orientaram nos meus dias mais sombrios. Para mim, sempre foi importante saber que os orientadores profissionais que consulto têm um relacionamento pessoal profundamente comprometido com Jesus e sabem que a batalha deve ser travada tanto no reino físico quanto no espiritual.

Estou orando por você, querido amigo.

Com muito amor,

*Dedicado com amor à memória de
Brian Hampton e sua linda família...
Karen Hampton, Ben Hampton
e Caroline Hampton Cole.
Brian deixou sua marca em tudo
o que escrevi nos últimos dez anos
e este livro não é exceção.
Enquanto digitava essas palavras,
ouvia sua gentil sabedoria,
seus delicados questionamentos
e sua brilhante criatividade.
Sinto uma falta enorme dele.
Ele abria o maior e mais radiante sorriso
quando falava de cada um de vocês.*

SUMÁRIO

Introdução, **9**

Capítulo 1: Perdão, a palavra de dois gumes, **15**

Capítulo 2: Seja bem-vindo à mesa, **27**

Capítulo 3: Será que vou sobreviver a isso?, **39**

Capítulo 4: Como é possível perdoar quando me sinto assim?, **49**

Capítulo 5: Coletando os pontos, **71**

Capítulo 6: Ligando os pontos, **89**

Capítulo 7: Corrigindo os pontos, **109**

Capítulo 8: O imutável parece imperdoável, **127**

Capítulo 9: Limites que nos ajudam a parar de dançar com a disfunção, **143**

Capítulo 10: Porque eles acharam que Deus os salvariam, **163**

Capítulo 11: Perdoando a Deus, **181**

Capítulo 12: O papel da perda, **199**

Capítulo 13: A amargura faz promessas que não cumpre, **215**

Capítulo 14: Praticando o perdão todos os dias, **233**

A beleza do perdão, **249**

Uma jornada pelo que a Bíblia diz sobre o perdão, **253**

As perguntas mais frequentes que fazem a Lysa sobre o perdão, **271**

Algumas observações importantes sobre o abuso, **277**

Agradecimentos, **281**

Notas, **287**

INTRODUÇÃO

Eu ainda choro pelo que aconteceu

JÁ ACONTECEU DE VOCÊ DIVIDIR a sua trajetória antes e depois de uma grande dor? Antes e depois daquele período terrível que você teve de passar. Aquela conversa que o deixou sem chão. O choque da descoberta. O telefonema para informar do acidente. O divórcio. O suicídio. A morte injusta tão inconcebível que você ainda não consegue acreditar que a pessoa se foi. A negligência médica. A separação. O dia em que seu amigo virou as costas para você. A briga. O comentário que ficou gravado em sua alma. A perda de algo que deveria ter sido seu. A brutalidade sofrida por uma pessoa amada. O e-mail que você não devia ter lido. A manipulação. A violação. A falsa acusação. O roubo. O incêndio. O tiro. O dia em que tudo mudou.

Aquele momento marcante, ou aquele divisor de águas.

Como se fosse o seu a.C. (Antes de Cristo) e d.C. (Depois de Cristo) pessoal.

Esse modo de dividir o tempo indica um momento decisivo da história: o nascimento, a vida, a morte e a ressurreição de Cristo. Quando temos momentos marcantes em nossa história, podemos pensar na nossa vida em termos de Antes da Crise e Depois do Colapso.

É uma linha que divide o tempo. Uma linha traçada com tanta nitidez em sua realidade que não só divide sua vida como se imiscui em suas memórias e as contamina por completo. As imagens do passado são alguns de nossos tesouros mais preciosos... até se tornarem lembretes dolorosos de tudo o que deixou de ser. E, quando seu celular exibe de surpresa aquelas memórias do que aconteceu quatro anos atrás, você mal consegue respirar.

A vida antes. A vida agora. Será possível sobreviver a algo tão devastador? Será possível voltar a criar uma vida bela?

Uma parte do que você amava em sua vida implodiu naquele momento e o marcou com esse ponto de referência indesejado, esse divisor de águas, esse antes e depois. O pesar é devastador de qualquer maneira. Mas e quando seu pesar foi causado pelas escolhas de uma outra pessoa? É natural ficar tenso ao pensar no que aconteceu.

E você pode se ver pensando o tempo todo no que aconteceu. Ou pelo menos tanto tempo a ponto de se perguntar se algum dia vai deixar de sentir essa dor. Esse coração partido, fervilhante com uma mistura de ansiedade, perguntas sem resposta e a suspeita de que ninguém está seguro neste mundo.

Você está no trabalho, no café, na escola do seu filho e até na igreja e as pessoas ao seu redor estão vivendo a vida despreocupadamente, sem imaginar que a qualquer momento podem desencadear uma memória tão dolorosa que você vai achar que o mundo desabou sobre a sua cabeça. Mas o único afetado é você. Você fica sem fôlego e suando com as pessoas exigindo para você seguir em frente ou sair do caminho.

Tudo o que você consegue fazer é olhar para as fotos que acabaram de aparecer no celular, tiradas um pouco antes de tudo mudar, desesperado para voltar àquele momento e poder avisar seu eu do passado para fazer alguma coisa... mudar de rumo... escapar... fugir... e evitar a tragédia que acabou acontecendo.

E evitar toda a dor que se seguiu. Evitar todo o caos de tudo o que veio depois do desastre. Todo o pesar e pânico. Sentindo-se frágil como o mais débil galho, mas preso neste lugar como o toco de uma árvore centenária.

INTRODUÇÃO

Eu sei como é.

Como você, eu gostaria de não conhecer esses sentimentos tão a fundo. Mas eu sei como é. Se você leu meu último livro, Não era para ser assim: encontrando forças para caminhar quando as decepções nos deixam devastados (2019), sabe como fiquei arrasada quando descobri que meu marido estava tendo um caso e o longo caminho de incertezas que ainda estava percorrendo no fim daquele livro. Os quatro anos de terrível desilusão que se seguiram à descoberta acabaram dando uma guinada inesperada em direção à reconciliação. Sou grata, mas não fui poupada do demorado e exaustivo trabalho de voltar a encontrar o meu caminho depois de viver uma experiência que marcou a minha vida para sempre.

Hoje, chorei novamente. Não foi porque tem algo de errado em meu casamento. Sou profundamente grata pela dádiva da cura e da restauração, mas não é sobre isso que este livro trata. Este livro é sobre saber o que fazer quando você não consegue esquecer o que aconteceu e quando você nem quer ouvir falar da palavra perdão.

Devo confessar que foi por isso que chorei hoje. Se você se identificar, sabe como é terrível definir sua vida com as palavras antes e depois. E, se ninguém mais neste mundo teve a gentileza de lhe dizer isso, eu direi. Eu lamento, lamento muitíssimo, por tudo o que aconteceu com você.

Não importa se foi um evento isolado ou uma série de mágoas acumuladas com o tempo porque alguém se revelou ser quem não deveria ser, não fez o que deveria fazer ou não o protegeu como deveria ter protegido, sua desilusão merece um lugar seguro para ser processada. Não importa quem esse "alguém" for em sua história, você ficou magoado com o que a pessoa fez, com o que a pessoa tirou de você e com a cadeia de eventos que ainda o afetam muito. E não foi certo.

Não estou julgando nem criticando a pessoa. Não tenho como saber o que aconteceu. Não sou qualificada para julgar, mas posso ser uma testemunha da dor que você está sentindo agora.

A sua dor é real. A minha também. Então, se ninguém lhe disse isso ainda, eu direi.

Mas, amigo leitor, posso revelar algo que estou aprendendo? Ficar nesse lugar, culpando a pessoa e definindo a sua vida em termos do que fizeram a você só vai aumentar a dor. Pior ainda, você vai continuar projetando sua dor nos outros. Quanto mais nos deixamos consumir pela nossa dor, mais seremos controlados por ela. E, infelizmente, é quem menos merece ser magoado que ficará mais magoado pela nossa dor.

Aquelas pessoas já causaram dor suficiente para você, para mim e para quem nos cerca. Elas já nos feriram muito. Elas já nos tiraram muito. Você não precisa lhes entregar o que tem de mais precioso e inestimável e passar a acreditar que todas as memórias são horríveis. Cabe a você decidir o caminho adiante.

Alguns anos atrás, quando meu casamento implodiu, eu não achava que teria algum poder de decisão para manter ou não memórias que eram preciosas para mim. Eu achava que meu casamento tinha acabado e que, portanto, teria de editar minha vida, tanto a futura quanto a passada. Passei pela casa tirando todas as nossas fotos. Encaixotei algumas das minhas lembranças de família favoritas. Tentei desvencilhar minha vida de qualquer coisa que me lembrasse do passado, simplesmente porque eu não sabia o que fazer. Mas esterilizar completamente minha vida da presença física de lembranças não me livrou da dor. Você não tem como editar a realidade e tentar forçar a cura. Você não tem como fingir que está tudo bem com o que aconteceu, mas você pode decidir que a pessoa que o magoou não tem poder de decisão sobre o que você fará com as suas memórias. Sua vida pode ser uma combinação harmoniosa de beleza e dor. Você não precisa rotular seu passado de um jeito ou de outro. Seu passado pode muito bem ser as duas coisas ao mesmo tempo.

Uma das maiores dificuldades de seguir em frente é abrir mão. Mas e se for possível abrir mão do que devemos abrir mão e, por outro lado, sem abrir mão do que consideramos belo, significativo e verdadeiro? De repente essa versão menos rigorosa de seguir em frente pode ser o que nos levará a um lugar de perdão. Você não precisa de mais traumas em sua vida. Então, como não quero mais destruição nem perda, preciso decidir o que fica e o que vai.

É o que preciso fazer. É o que quero fazer.

Quero voltar a ver meu álbum de casamento com prazer, apesar da realidade terrível de saber que meu marido teve um caso. Aquele dia continua sendo real, belo e completamente digno de ser um tesouro em minha vida.

Desejo lembrar daquelas férias nas quais nos divertimos tanto sem me focar no fato de que eu não fazia ideia do que estava acontecendo na época. Ainda estávamos criando memórias incríveis cheias de risadas, compartilhando piadas internas, brincadeiras malucas, danças bobas e longas conversas ao jantar. Foi real e foi lindo. Não quero fechar meus olhos a tudo o que vivi.

Almejo ver aquele cartão de Natal que mandamos – com a família toda arrumada e sorrindo – sem me sentir uma idiota ou uma farsa. A proximidade familiar representada naquela foto foi real, preciosa e completamente verdadeira para mim.

Quero isso para você também. Não importa como isso se traduz no contexto de sua dor, você tem o direito de manter aquelas imagens, aquelas memórias, aqueles momentos juntos... se eles foram uma fonte de alegria.

E você tem o direito de desvencilhar-se das memórias terrivelmente dolorosas.

E também tem o direito de separar em caixas para "manter" e "jogar" as memórias que são uma mistura dos dois. De qualquer maneira, não podemos deixar a dor reescrever as nossas memórias. E é absolutamente necessário não permitir que a dor destrua o futuro.

Quanto mais nos deixamos **consumir** pela nossa dor, mais seremos **controlados** por ela.

CAPÍTULO 1

PERDÃO, A PALAVRA DE DOIS GUMES

NOS DIAS E MESES QUE SE SEGUIRAM à devastação de meu casamento, queria poder tomar uma anestesia geral, como quem faz uma cirurgia. Queria poder chamar um anestesista e só acordar depois de me recuperar um pouco. A dor de ser emocionalmente dilacerado é comparável à dor de uma cirurgia.

O choque, a desilusão e a implosão do relacionamento afetaram todos os aspectos da minha vida. Nada passou ileso ou livre de danos. E todos os dias, sem exceção, senti na pele a dura realidade. Acordava todo dia e encontrava uma realidade ainda mais devastadora. Não estava sendo fácil para os meus filhos. Não estava sendo fácil para a minha saúde. Minha vida financeira estava um caos. Estava recebendo cartas de advogados, sendo que nunca tinha me imaginado em uma situação como aquela. E todo dia só conseguia pegar no sono mentindo para mim mesma ao dizer que o dia seguinte seria melhor.

Os dias se transformaram em meses. Os meses se transformaram em anos. E aos poucos fui me transformando em uma pessoa que eu não reconhecia. Meu espírito forte, porém, normalmente despreocupado, tornou-se uma mistura confusa de ansiedade, ataques de pânico e uma dor tão intensa que me cegava a alma e cheguei a achar que nunca mais ficaria bem ou voltaria a ter uma vida normal. E, por ter passado por tantas coisas tão difíceis de processar, uma escuridão começou a abater-se sobre meu otimismo.

Meus relacionamentos foram reduzidos a tentativas de controlar o que temia nas pessoas em vez de desfrutar do que gostava delas. Meus risos soavam falsos. A diversão parecia falta de cautela. E as imperfeições das pessoas eram como luzes de neon declarando aos gritos que tinha grandes chances de voltar a me magoar. Todos os pequenos problemas cotidianos pareciam cenários que poderiam levar a uma tragédia. Pequenas chateações provocavam um caos emocional. E qualquer perda, grande ou pequena, era como um ataque a tudo o que sou.

Passei a sentir um peso que não tinha como explicar direito nem saber de onde vinha. Não sei como descrever, só sei que, dependendo do dia, essa sensação surgia em diferentes formas que pareciam garantir minha sobrevivência e me despedaçar ao mesmo tempo.

A descrença vinha na forma de um guardião, me fazendo acreditar que, se eu não tivesse muitas expectativas, ficaria protegida e evitaria mais dor. O problema é que, na verdade, ele não passava de um ladrão disfarçado, tentando roubar cada pedacinho de proximidade entre mim e as pessoas que amo. E, pior ainda, roubar a intimidade autêntica entre mim e Deus.

A amargura vinha na forma de um juiz, fazendo-me acreditar que preciso coletar evidências contra todas as pessoas que me magoaram para poder apresentar e argumentar meu caso e elas sejam declaradas "culpadas". O problema é que essa forma de pensar não passava de uma sentença de autoisolamento, para minha alma definhar sem relacionamentos vivificantes.

O ressentimento vinha na forma de um cartaz ostentando a palavra vingança, fazendo-me acreditar que a única maneira de me livrar da minha dor era dar um jeito para que os culpados sentissem a mesma dor. Só que isso não passava de uma armadilha, com os dentes afiados me cravando cada vez mais fundo na carne, me torturando e, pior ainda, me incapacitando de seguir em frente.

A procrastinação entrou sorrateiramente me oferecendo pipoca e uma cadeira de cinema confortável feita com a minha dor e tristeza, fazendo-me acreditar que estava tudo bem ficar ali, repetindo sem parar filmes antigos sobre o que aconteceu. E que, ao ver e rever esses filmes, um dia entenderia por que tudo aconteceu. Só que, na verdade, estava em uma câmara de tortura, sendo que cada filme exibido só intensificava a dor sem dar as respostas que eu achava que viriam.

Por fim, a desconfiança vinha na forma de um detetive particular, fazendo-me acreditar que me ajudaria a pegar todas as pessoas que querem me magoar e provar que ninguém está sendo sincero comigo. Na verdade, a desconfiança era um gás tóxico que, em vez de manter afastadas as poucas pessoas nas quais não devia confiar, sufocava todos os que se aproximavam de mim.

Esses eram os soldados do rancor travando uma guerra contra mim.

São os soldados do rancor travando uma guerra neste exato momento contra cada pessoa que se sentiu magoada.

Sou uma pessoa que simpatiza com a ideia de perdão... até eu ser a pessoa magoada que rejeita a ideia.

Por isso, pode causar estranheza eu ter escrito as palavras contidas neste livro. Mas, se fosse fácil para mim, se eu não tivesse dificuldade de perdoar, acho que este livro não seria escrito com a dor que a mensagem merece.

Com base em minhas feridas profundas, eu acharia que o perdão pode chegar a ser ofensivo, impossível e uma das maneiras mais rápidas de aumentar a injustiça de ter sido tão magoada. Clamo por justiça. Quero bênçãos a todos os que seguem as leis da vida e do amor. Quero uma punição para os que as violam.

Isso é pedir demais?

E é exatamente neste lugar que gosto de estacionar, ruminar, focar-me em todas as más ações dos outros e convocar os que concordam comigo a me ajudar a justificar ficar aqui, parada.

Mas fazer isso não é diferente de quando, na época da faculdade, fiz questão de ficar no estacionamento de uma bela praia só para protestar. No carro a caminho da praia meus amigos disseram ou fizeram alguma coisa que me ofendeu. Quando chegamos à praia, todos os meus amigos saíram correndo do carro e passaram horas se divertindo na praia, se refrescando no mar, fazendo um piquenique e criando memórias incríveis juntos. Enquanto isso, passei o tempo todo andando pelo estacionamento como um cão de guarda sob um sol escaldante, alimentando minha raiva a cada hora que passava.

Lembro de ter sentido um enorme prazer com a ideia de ensinar uma lição aos meus amigos com aquele meu protesto solo.

Mas, no fim, a única afetada fui eu. Fui a única que ficou de fora. Fui única que ficou com fome. O único delito do qual as pessoas falaram sobre aquele dia foi o meu. E fui eu quem passou o caminho todo de volta em silêncio, sabendo que fui a única a ser punida pelas minhas escolhas.

Os soldados do rancor gritaram e pularam de alegria por sua vitória naquele dia. E eu fui apenas mais uma alma solitária chorando na cama até cair no sono, sentindo-me envergonhada e derrotada. A única memória que fiz naquele dia foi amarga.

E se tivesse sido capaz de me desvencilhar da ofensa e seguir em frente naquele dia na praia? E se pudesse fazer isso agora?

A capacidade de voltar a ver o belo é o que desejo para você e para mim. O perdão é a arma. Nossas escolhas no futuro são o campo de batalha. Seguir em frente é a jornada. Libertar-se desse peso é a recompensa. Recuperar a possibilidade de confiar e de se aproximar das pessoas é a doce vitória. E caminhar da dor à cura com confiança no Senhor é a liberdade que nos espera.

É disso que este livro trata. Nesta jornada, você descobrirá novas formas, maneiras saudáveis e valiosas, de processar sua dor.

Agora, deixe-me garantir o que este livro não é.

A mensagem deste livro não tenta minimizar sua experiência ou a angústia que o levou a verter um milhão de lágrimas. Não justifica o abuso, o abandono ou casos extraconjugais, que são errados não importa como as pessoas possam tentar mudar a narrativa. Não faz pouco caso de seus sentimentos e da sua sensação de impotência quando você é tomado pela dor, precisa lidar com os gatilhos das memórias, se vê ignorado por pessoas que deveriam amá-lo ou afastado por pessoas que deveriam cuidar de você.

Não sugere que você deve desculpar os crimes mais cruéis e horrendos cometidos contra você ou contra pessoas que você ama.

E não exige o perdão, como se todos os relacionamentos com todas as pessoas devem ter um final feliz, porque sei que, em algumas situações, isso não só é impossível como não é seguro. Na verdade, nestas páginas, faremos o trabalho de desembaraçar os conceitos, erroneamente misturados, de perdão e reconciliação.

E esta mensagem não lhe dará sermões com dedos apontados e tons acusatórios. Eu mesma demorei muito para aprender a lição e está longe de mim querer impor qualquer lição a você. E, apesar de este livro oferecer muita graça, as palavras aqui contidas se baseiam na verdade de Deus. Afinal, a graça nos dá a certeza de que é seguro abrandar nosso coração temeroso, mas que é a verdade que nos libertará (João 8:32). Graça e verdade são conceitos que surgem juntos nas Escrituras (João 1:14, 17). Se eu lhe oferecesse apenas graça, estaria deixando de revelar tudo o que é realmente necessário para atingir a cura. Nem sempre é fácil ouvir a verdade, mas Deus a oferece a todos nós porque

> *O perdão não resulta da minha determinação. O perdão só é possível com a minha cooperação.*

Ele sabe que o nosso coração e a nossa alma precisam dela. É a verdade de Deus que nos liberta.

O perdão é possível, apesar de nem sempre parecer possível. Podemos achar que o perdão é uma das instruções mais impossíveis do Senhor.

É uma palavra de dois gumes, não é?

É difícil de oferecer. É incrível quando recebemos. Mas, quando a recebemos incondicionalmente do Senhor e nos recusamos a oferecê-la, um peso começa a se formar em nossa alma.

É o peso do perdão que não deixamos passar através de nós. E, no meu caso, isso acontece, principalmente, porque deixei de entender algo de enorme profundidade sobre o perdão.

O perdão não é algo difícil que temos a opção de fazer ou não. O perdão é algo conquistado a duras penas e do qual temos a oportunidade de participar. Nosso papel no perdão não é um papel de desespero que nos obriga a fazer um esforço com os dentes rangendo e os punhos cerrados. Não é lutar contra a irritação e combater o ressentimento. Não é vencer aos soluços a resistência de todas as nossas justificativas para continuarmos com raiva, magoados e horrorizados com todo o sofrimento que nos foi imposto.

Eu costumava pensar assim.

Mas, enquanto me iludo achando que o perdão aumenta e diminui de acordo com meu esforço, minha determinação, minha maturidade e minha bondade, sentimentos que parecem reais em um momento e falsos no momento seguinte, nunca serei capaz de ser autêntica e dar aos outros o tipo de perdão que recebo de Jesus.

Na verdade, minha capacidade de perdoar aumenta e diminui com base no seguinte ensinamento: apoiar-me no que Jesus já fez, o que permite que *Sua graça para comigo flua livremente através de mim* (Efésios 4:7).

O perdão não resulta da minha determinação. O perdão só é possível com a minha cooperação. E o que tem faltado é cooperação.

Deus sabia que não tínhamos como conseguir sozinhos. Ele soube disso a partir do momento em que a mordida do fruto proibido se tornou o primeiro som do pecado. E, então, veio o sibilar das acusações do inimigo e os passos apressados de um homem e uma mulher aterrorizados. Adão e Eva correram para a escuridão enquanto a culpa e a vergonha reverberavam com ecos que ouvimos saindo de nossa boca até hoje. E depois eles se esconderam.

Assim que o pecado passou a ser escolha deles, eles passaram a preferir o abrigo proporcionado pela escuridão.

Por favor, tenha paciência enquanto escrevo as próximas palavras. Não é só quando faço algo errado que me pego correndo para me esconder na escuridão. Isso também acontece quando faço o contrário do que deveria fazer em resposta a alguém que peca contra mim, comete alguma injustiça, me magoa ou só me incomoda. Minha primeira tendência, na maioria das vezes, não é abençoá-los. Nem ser paciente com eles. Nem ser tudo o que as Escrituras nos instruem a fazer em (Romanos 12) e lhes dar um McLanche Feliz com um milk-shake de chocolate.

Nada disso.

Minha primeira tendência é fazer exatamente o que eu os critico tanto por fazer. Deixo-me levar pelas minhas justificativas para retaliar e faço de tudo para magoá-los na mesma medida em que eles me magoaram. E, quando o pecado é escolha minha, prefiro me abrigar na escuridão. O problema é que a escuridão não só me encobre como também paira sobre mim com um peso insano.

O coração humano tem uma tendência enorme a querer encobrir as coisas. Todos nós tendemos a fugir para um lugar escuro em vez de arriscar ver o que pode surgir na luz. Queremos a liberdade, mas resistimos a fazer o que Deus nos ensina a fazer.

Deus sabia disso tudo.

Foi por isso que Ele criou um caminho que não depende de nossa força. O caminho do perdão. Um caminho que nos leva a nos abrigar nos braços estendidos de Jesus, ensanguentados pela crucificação e gotejando redenção. Ele acolhe e perdoa o que só conseguimos ocultar. Ele perdoa o que sabe que somos incapazes de corrigir. E abre um caminho para que possamos simplesmente cooperar com Sua obra de perdão – para recebermos e para darmos.

Acredito de todo o coração que o perdão recebido e o perdão dado são exatamente o que abre os olhos deste mundo para a mais impressionante revelação da realidade de Jesus, mais do que qualquer outra coisa.

Mas jamais confunda redenção com reconciliação. A reconciliação, ou "re-união", requer que duas pessoas estejam dispostas a trabalhar duro para voltar a ficar juntas. A redenção é só entre você e Deus. Deus pode redimir a sua vida, mesmo com o fim de um relacionamento humano.

E você e eu podemos perdoar mesmo se o relacionamento nunca for restaurado. É uma liberdade incrível poder perdoar sem ter de esperar por pessoas que podem nunca querer ou se dispor a conversar para resolver a situação. O perdão nem sempre envolve fazer algo por um relacionamento humano, mas sim obedecer às instruções que Deus nos deu.

E o que exatamente é essa redenção? É você aceitando a permuta oferecida por Deus.

DO QUE VOCÊ ABRE MÃO: do direito de exigir que a pessoa que o magoou lhe dê algum tipo de ressarcimento ou padeça da mesma mágoa que lhe causou. Deus cuidará disso. E, mesmo se você nunca chegar a ver como Deus cuida disso, você sabe que Ele o fará.

O QUE VOCÊ RECEBE: a liberdade de seguir em frente com sua vida.

Sua vida não deve ser o poço de dor ao qual você foi arrastado por alguém. A vida oferece muito mais para ver, descobrir e vivenciar. Pare de cavar com as mãos o buraco lamacento no qual você está na esperança de encontrar alguma recompensa enterrada lá. Não tem recompensa alguma no fundo do poço. Pegue a mão de Deus e as palavras de perdão que saírem de seus lábios serão sementes de belas flores espalhadas pelo mundo. A lama do poço se transforma em um solo fértil com grande potencial de gerar frutos. E você logo estará dançando por tudo o que germinou e floresceu ao seu redor.

Por um tempo, você ainda pode sentir as lágrimas indo e vindo. É normal. Libertar-se do rancor não quer dizer que você vai se curar instantaneamente de todas as emoções envolvidas. Mas saiba que essas emoções, inevitavelmente, se transformarão em compaixão em vez de amargura.

Você vai ver... as pessoas que mais se entregam na cooperação com o perdão são as que dançam com mais liberdade na beleza da redenção.

Vou deixá-lo processar essa afirmação sem exigir nada de você.

Não estou dizendo que você precisa superar rapidamente tudo o que passou e seguir em frente com a sua vida como se nada tivesse acontecido. Somos inundados rapidamente por um tsunami de emoções que nem sempre nos deixa na mesma velocidade.

É um processo que leva tempo. E é exatamente o que desejo lhe dar conforme processamos a mensagem deste livro com calma, aos poucos. Antes de entramos nas etapas do perdão, proponho refletirmos sobre nossos mecanismos de enfrentamento e as razões que nos levam a resistir ao perdão. E, ainda mais importante, vamos decidir que sobreviveremos a tudo isso tirando o poder daqueles que nos magoam.

Nossa cura não pode depender das ações dos outros, especialmente se eles não conseguirem ou não quiserem mudar. Sim, vai levar um tempo, mas pode acontecer.

E nos aproximar do perdão também requer outros fatores importantes.

Requer compreensão. É por isso que decidi abrir a realidade ao mesmo tempo brutal e bela da profunda dor pela qual passei.

Requer discernimento. É o que lhe darei com base nos meus estudos da Palavra de Deus, nas minhas próprias resistências e no meu progresso imperfeito.

Requer intervenção divina. É exatamente o que Deus lhe proporcionará de maneira pessoal e profunda, não por meio de minhas palavras, mas das palavras d'Ele, pontuadas ao longo deste livro.

Por fim, requer abertura. Esse é o convite que venho lhe fazer. Não estou exigindo que você se abra, mas, neste livro, lhe ofereço um lugar para que as revelações de Deus surjam com suavidade e beleza em sua vida. E a melhor parte é que podemos fazer isso juntos.

As pessoas que mais se entregam na cooperação com o

perdão

são as que dançam com mais liberdade na beleza da

redenção.

CAPÍTULO 2

SEJA BEM-VINDO À MESA

ESCREVI ESTA MENSAGEM sentada a uma mesa cinza de madeira. Em muitos dias fiz isso sozinha, com meu computador, minhas lágrimas, minha Bíblia e minhas dificuldades de perdoar. Em outros dias, convidei amigos e colegas, que compartilharam suas experiências de vida para ajudar a processar esta mensagem.

Dependendo do dia, escrever um livro pode ser complicado, maravilhoso ou difícil. A vida não para só porque estamos escrevendo uma mensagem. Coisas novas acontecem durante o processo de escrita que me forçam a perguntar: "Será que esta mensagem é viável em meio aos acontecimentos do cotidiano? Diante desta nova dificuldade que estou enfrentando agora?" A vida não para de nos dar oportunidades de perdoar.

E continuamos nos sentando à mesa cinza para abrir nosso coração aos ensinamentos da Bíblia e deste livro. Ao redor da mesa cinza, alguns de nós relembramos coisas imperdoáveis que nos fizeram no passado e que nos afetam até hoje, mais do que jamais ousamos admitir. Outros não passaram por nenhuma dificuldade épica, mas sempre é interessante processar qualquer dor que insistimos em ruminar. As coisas podem simplesmente se acumular. Uma situação dolorosa aqui. Uma conversa difícil ali. E, ainda, outros tiveram feridas mais pontuais que estavam ocorrendo em sua vida.

Uma de nós tinha um ex-namorado que ficou noivo. Ela achava que tinha conseguido lidar com a morte de seus sonhos com o término repentino daquele relacionamento. Ela tinha seguido em frente. Mas o noivado do ex-namorado despertou mágoas que ainda não tinham sido perdoadas.

Uma de nós tinha uma amizade de longa data que começou a se desfazer em razão das escolhas que sua amiga estava tomando e que não faziam sentido algum. Limites precisavam ser estabelecidos. Conversas difíceis se transformaram em silêncio que, por sua vez, se transformou na realidade ensurdecedora do fim de uma amizade.

Outro de nós não fazia ideia de que esta mensagem seria uma preparação para a situação mais terrível que sua família viria a enfrentar. Pouco antes de eu terminar o manuscrito deste livro, ele recebeu um telefonema informando que uma jovem prima havia sido assassinada. Na próxima vez que nos sentamos ao redor da mesa cinza, ele tinha acabado de chegar do velório onde foi exibida uma apresentação com fotos dela sorrindo, se divertindo e sendo a bela pessoa que era. "Como é que algo assim pode acontecer? Eu e minha família estamos chocados."

Cada um de nós enfrentou as próprias dificuldades com o perdão em meio às experiências complexas, lacrimosas e desesperadas que levamos à mesa. E, mesmo sem você saber, sempre reservamos um lugar para você.

Este é um espaço seguro para você revelar suas questões. Sua desilusão será acolhida com ternura. Seus pensamentos não precisam ser editados. Sua alma encontrará a verdade que tanto anseia. E nós entendemos a sua resistência. Seja bem-vindo à mesa cinza, querido leitor.

Sei como é ter sido magoado tão fundo que o perdão parece uma instrução cruel demais para levar em consideração. Ou que o perdão parece uma teoria espiritual que você pode até considerar um dia, mas só depois de muito tempo. Ou que é um assunto que você tem evitado e não quer falar a respeito.

Entendo tudo isso. Entendo mesmo. Acho que, se tivesse sido convidada para esta mesa, sentiria uma mistura de tudo isso.

Em alguns momentos da minha vida, confesso que tive muitas reações diferentes à menção da palavra perdão. Cautela. Derrota. Raiva. Mágoa. Medo. Frustração. Confusão. É por isso que quero que você saiba de algo de vital importância.

Eu sei como é sentir-se sozinho em meio a uma multidão e mergulhado em um mar de dor. Amigo, saiba que você não está sozinho. E que ninguém o julgará ou criticará enquanto você tenta, aos trancos e aos barrancos, colocar esta mensagem em prática.

Eu mesma não quero que alguém que não tem como entender a minha mágoa venha me mandar praticar o perdão como se fosse tarefa fácil. Nem quero que alguém me culpe por hesitar ou, pior ainda, tente me empurrar um ensinamento que eu simplesmente não estou pronta para ouvir.

Não foi fácil para mim escrever esta mensagem. Tive muitas dificuldades em aceitá-la. Cheguei até a me sentir derrotada por ela.

Em todas as pesquisas que fiz sobre o perdão, descobri muitos sentimentos legítimos que alimentam a resistência e mantêm muitos de nós paralisados. Veja com quais sentimentos você se identifica mais:

- Tenho medo de ser magoado de novo.
- Apegar-me ao rancor me dá a sensação de que tenho algum controle de uma situação que me pareceu tão injusta.
- A dor que senti mudou a minha vida, mas ninguém nunca confirmou minha sensação que não deveria ter passado por aquilo.
- Parece que o perdão banaliza, minimiza ou, pior ainda, tira a importância do que aconteceu.
- Não tenho como perdoar quando ainda sinto tanta hostilidade em relação à pessoa que me magoou.

- Não estou pronto para perdoar.
- Ainda estou muito magoado.
- A pessoa não pediu desculpa nem reconheceu que fez uma coisa errada.
- Não é possível nem seguro retomar o relacionamento com a pessoa. Além disso, nem tenho por que manter um diálogo com uma pessoa que me magoou tanto.
- Ainda estou passando por uma situação demorada e difícil e ainda não cheguei a uma resolução.
- Tenho medo de que meu perdão dê à pessoa uma falsa esperança de que estou disposto a retomar o relacionamento, o que eu não quero fazer.
- É mais fácil simplesmente ignorar a pessoa do que tentar estabelecer limites para ela parar de me magoar.
- Nada vai mudar o que a pessoa fez, por isso meu perdão não vai fazer diferença alguma.
- A pessoa que me magoou não está mais aqui. Não tenho como perdoar uma pessoa com quem não tenho como conversar.
- Não acho que o perdão vai ajudar em nada agora.

Quando seu coração foi despedaçado e transformado em algo que ainda não é normal em seu peito, pode parecer inviável perdoar.

No começo, dizemos que é cedo demais e que precisamos de um tempo.

Com o passar dos anos, dizemos que é tarde demais.

Como uma cristã, sabia que devia perdoar. Posso até ter murmurado, sem muita convicção, uma oração usando a palavra perdão. Mas realmente saber perdoar? Acho que não. E não é curioso que, apesar de o perdão ser uma parte tão importante da fé cristã, a maioria de nós nunca aprendeu muito a respeito?

Sabemos que Deus nos ensina perdoar. Mas como? Por quê? Quando? E será que existem exceções?

Depois de mais de mil horas estudando o assunto na Bíblia, não posso dizer que todas as minhas perguntas foram respondidas. Nem posso prometer que vai ser fácil. Mas posso lhe dizer que a Bíblia contém a verdade sobre o perdão, a verdade pela qual nossa alma anseia tanto. E, o melhor de tudo, o próprio Deus nos mostrou como fazer isso, mesmo quando parecia absolutamente impossível.

A Palavra de Deus oferece o perdão encarnado. Jesus sem pecado, a divindade absoluta e a humanidade completa, foi atormentado e rejeitado, espancado e humilhado, cuspido e desvalorizado em todos os níveis. Ele a tudo suportou para que nunca tivéssemos que suportar um minuto de nosso sofrimento sozinhos.

Ele veio à terra por nós com o perdão pulsando no próprio sangue que um dia viria a derramar. Ele não permitiria que o perdão fosse impedido por justificativas humanas. Isso porque, no exato momento em que achamos que chegamos ao limite do perdão, Jesus destrói esse limite com Sua multiplicação (setenta vezes sete) e Sua instrução de que não devemos alimentar o rancor sabendo que recebemos tanto perdão de Deus.

O perdão é uma ordem. Mas está longe de ser uma ordem cruel. É a misericórdia de Deus voltada ao coração humano, tão propenso a transformar mágoa em ódio.

E o que dizer do velho ditado, "Perdoar e esquecer"? Na verdade, isso não está na Bíblia. Você pode perdoar mesmo se não puder esquecer. Somos instruídos a abrir mão do que ficou para trás para podermos seguir em frente sem o peso da amargura, do ressentimento, da raiva e do rancor. Mas esquecer? O único lugar em que "esquecer" é mencionado na Bíblia diz respeito a Deus perdoando nossos pecados: "Porque eu lhes perdoarei a maldade e não me lembrarei mais dos seus pecados" (Hebreus 8:12).

E você pode dar um suspiro de alívio ao saber que o abuso não deve ser tolerado. Apesar de a graça infinita de Deus proporcionar um meio para que todos sejam perdoados, a verdade de Deus estabelece parâmetros para lidarmos com o comportamento errado. Além disso, é possível estabelecer limites com medidas iguais de misericórdia e amor firme.

Dei uma boa olhada na dor profunda quando feridas imutáveis parecem absolutamente imperdoáveis. Tive dificuldade de encarar a injustiça. Virei o perdão do avesso, examinando-o teológica, moral, ética, relacional, racionalmente e, talvez o melhor de tudo, por meio das ações impensáveis, porém, infinitamente belas, do próprio Jesus.

Não podemos deixar de levar algumas complexidades em consideração. Não é possível acreditar que o perdão é algo simples quando deve ser aplicado a circunstâncias que abrangem toda a gama de ofensas, desde uma chateação até um assassinato brutal. O custo de uma ofensa é minúsculo em comparação com a magnitude da outra. Mas o convite para cooperar com o perdão de Deus se estende às duas.

É verdade que as consequências permanecem vinculadas à gravidade do pecado. E a misericórdia de Deus é isenta de Sua justiça. Mas a instrução de que devemos perdoar é clara demais para ser evitada ou recusada.

É importante saber, contudo, que, como uma alma que resistiu a ver a possibilidade do perdão, enquanto chorava diante de meu sofrimento, não digo nada disso da boca para fora. Não vou criticá-lo por suas dificuldades nem o culpar por seu ceticismo.

Aprendi que uma das maneiras de descobrir o que estava impedindo minha cura foi deixar uma psicóloga falar comigo sobre o que ela me viu fazendo para lidar com toda a dor que eu sentia. Eu participava de uma terapia em grupo e realmente achava que estava fazendo um bom progresso. Todos pareciam ter uma infinidade de recursos aos quais recorriam quando sua dor parecia impossível. As opções mais comuns eram drogas e álcool. Mas maratonar séries na Netflix e encontros sexuais casuais também foram mencionados. E lá estava eu, com minha Bíblia no colo. A terapeuta deve ter percebido que eu estava superestimando meu progresso.

"E você, Lysa? Vamos falar sobre o seu mecanismo de enfrentamento..."

Eu sorri, esperando que ela me desse a nota máxima nessa rodada de terapia.

Não foi o que aconteceu. Pelo contrário, ela disse: "Você espiritualiza demais sua experiência, chegando a ponto de negar seus sentimentos em vez de realmente lidar com a sua dor".

Essa doeu. Nota zero para mim. Eu queria poder dizer que aquilo não tinha nada a ver. Mas, sinceramente, ela tinha razão. Aquele comentário derrubou minha fachada de positividade, otimismo e fingimento.

Com o tempo, tive de me perguntar: Será que estou vendo a vida através das lentes de como quero que ela seja ou de como ela realmente é?

Mecanismos de enfrentamento, como ser otimista demais, espiritualizada demais ou usar drogas ou álcool para se entorpecer, podem nos ajudar por um tempo. Mas, em longo prazo, eles não nos ajudam a lidar com as dificuldades, mas nos mantêm presos em nossa dor não curada. Mais cedo ou mais tarde, precisamos parar de:

- repetir os acontecimentos sem parar na nossa mente;
- nos iludir achando que um evento terrível do passado não foi tão ruim assim;
- passar tanto tempo imaginado como as coisas deveriam ter sido a ponto de sermos incapazes de reconhecer a realidade.

Não podemos viver em uma realidade alternativa e esperar que a realidade debaixo do nosso nariz melhore por conta própria. Só podemos curar o que nos dispomos a reconhecer que é real.

Fui profundamente afetada pelo que passei. E, apesar de ter um talento especial para dourar a pílula e garantir às pessoas ao meu redor que estou bem e até me convencer de que não estou tão mal quanto realmente estou, chegou a hora de deixar a máscara cair e encarar a realidade.

Estou ao mesmo tempo apavorada com a versão nua e crua da minha realidade e um pouco intrigada com a possibilidade de ver a realidade livre de todo o caos. Mas sei que, com isso, poderei avaliar melhor minha verdadeira situação e decidir deliberadamente as partes do meu coração que ainda precisam ser curadas antes de realmente poder seguir em frente.

Foi muito bom minha terapeuta ter apontado algumas frases espiritualizadas demais que eu disse para dar a impressão de que meu coração está mais curado do que realmente está:

- Eu estou bem. Está tudo bem comigo. Decidi que vou seguir em frente.
- Quem vai sair perdendo é ele.
- Mais cedo ou mais tarde, Deus fará a justiça.
- Como uma cristã, sei que devo perdoar e perdoei.
- O que passou, passou. Agora é só seguir em frente. Nada de mais.
- Minha vida está cheia de coisas para eu ser grata e decidi ser grata.
- Quem tem tempo ou energia para investigar por que isso aconteceu e como me afetou? É melhor só seguir em frente.
- Sou adulta e sei que preciso enfrentar o que aconteceu e superar a dor.

Você pode estar pensando: "Espere um pouco... essas frases até que fazem sentido". Bem, até concordo, a menos que você esteja usando essas afirmações e elas o estejam impedindo de sair desse lugar de dor. Estampar um sorriso no rosto para encobrir a mágoa não curada é um caminho inevitável para explodir mais cedo ou mais tarde.

Às vezes, parece mais fácil negar minha dor do que fazer o árduo trabalho de encarar a realidade e me curar. C. S. Lewis escreveu: "Todo mundo diz que é lindo perdoar até ter algo para perdoar".[1]

Não importa se você estiver mergulhado até o pescoço em dor e se identificou com a lista de sentimentos de resistência do início deste capítulo ou se estiver negando sua dor como na lista acima, uma coisa é certa: o perdão é possível. Que bom. Seu coração é um lugar lindo demais para conter uma dor não curada. Sua alma merece a liberdade e não precisa ficar presa na mágoa.

Perdoar não é incluir em sua dor um tormento insuportável. É trocar o ressentimento pela liberdade de voltar a viver, fazendo com que seja impossível fechar os olhos ao mistério dos desígnios de Deus.

Na terra, normalmente só conseguimos ver as nossas próprias ações e as ações dos outros. Espera-se que a gentileza seja retribuída com gentileza. E ninguém se surpreende quando a raiva é retribuída com raiva. Vemos isso acontecer todos os dias.

Parece que basta estar vivo para ser ferido, magoado, injustiçado e desapontado pelas ações dos outros. É comum uma mágoa não curada sair do controle e se espalhar para os outros. É muito comum ficarmos muito ofendidos.

Até os cristãos. Até nas igrejas. Até amigos que costumavam orar juntos. E até em famílias que têm uma Bíblia em cada cômodo da casa.

E até eu. Quando a dor nos afeta de maneira tão profundamente pessoal, é difícil reagir com base nos ensinamentos da

Bíblia. É difícil não perder o prumo quando as mágoas não param de se acumular.

Mas também posso lhe contar algo que vi com meus próprios olhos e que é mais surpreendente do que tudo o que posso expressar por meio de letras em uma página impressa.

É absolutamente chocante quando alguém, pelo poder do Espírito de Deus, consegue superar a resistência da carne e o apelo do rancor.

É um dos momentos mais raros da vida de todos os que testemunham.

Quando isso acontece, você consegue ver com seus olhos físicos evidências do Espírito Divino, a ponto de achar que pode tocá-l'O. É um momento simplesmente inesquecível.

Quando este mundo – tão saturado de carne se ressentindo de carne, corações odiando corações, punhos esmurrando punhos, orgulho se erguendo contra orgulho – de repente vê alguém largando a espada e ousando murmurar: "Eu perdoo" ... TUDO PARA.

Na fração de segundo em que essas palavras são ditas, o mal se detém, o céu toca a terra e a mais rica prova da verdade do Evangelho reverbera não só naquele momento, mas em todas as futuras gerações. A salvação alinha a carne do ser humano ao Espírito de Deus, mas o perdão é a maior prova de que a Verdade de Deus vive em nós.

E nenhuma pessoa que testemunha essa verdade pode virar as costas sem ser afetada.

Fico feliz de ter guardado um lugar para você nesta mesa.

É comum uma mágoa **não curada** sair do controle e se espalhar para **os outros.**

CAPÍTULO 3

SERÁ QUE VOU SOBREVIVER A ISSO?

> *O perdão é uma virtude complicada que descomplica a dor que me cega e me ajuda a voltar a ver a beleza.*

RABISQUEI ISSO EM MEU DIÁRIO, cheia de esperança com o meu progresso na manhã naquele dia. Eu me sentia bem, leve e certa.

Até algumas horas depois, quando um gatilho disparou em mim.

Como eu já disse, minha história inclui um casamento destroçado. As feridas estão cicatrizando, mas alguns lugares dentro de mim ainda estão em carne viva e com nervos expostos, e até o mais leve toque pode me fazer recuar e reagir.

Como um dente quebrado expondo os nervos, que dói até para respirar. A água gelada que antes refrescava passa a ser uma punhalada. Mastigar é absolutamente impossível. E sei que, se eu não me proteger, posso ser tomada por uma dor intensa, mas é inevitável esquecer. Em um momento de descuido, serei obrigada a pagar por baixar minhas defesas.

É doloroso ter nervos expostos tanto nos dentes quanto na alma e é quase impossível se proteger da dor o tempo todo.

Por isso, quando um gatilho disparou e o nervo exposto de uma mágoa não resolvida foi cutucado, uma série de palavras venenosas saiu da minha boca. E, num piscar de olhos, eu estava destruída. Mal. Fora de controle. Todo o "progresso" que acreditei que tinha feito pareceu uma farsa.

É bem verdade que o perdão é uma virtude complicada. Mas como é possível o perdão descomplicar a dor que me cega para eu voltar a ver a beleza? Às vezes, as palavras parecem tão possíveis até o momento em que tentamos colocá-las em prática. Parece que tudo não passa de uma retórica vazia.

Só que não era. Escrevi o que realmente estava sentindo. Mas, então, por que estava sendo tão difícil colocar essas palavras em prática?

Voltei a sentir um peso insano.

E me senti mais traída do que nunca por quem me magoou. Eu queria arrancar aquelas palavras de perdão do meu diário, enquanto proferia ofensas que você não vai encontrar na Bíblia. Um grito varreu meu coração. E, mesmo usando todas as minhas forças, não consegui contê-lo. Tive o desejo irresistível de em bater alguma coisa. Forte. Bem forte. Olhei para a porta da entrada. Escancarei a porta e a fechei repetidas vezes com todas as forças, enquanto gritava. Enquanto agitava os braços. Dei vazão a tudo. Não tentei conter nada. Até que vi um movimento através dos detalhes de vidro da porta que por algum milagre não se estilhaçou com as batidas.

Uma entregadora estava parada nos degraus da frente da minha casa assistindo a tudo. Ela estava do lado de fora olhando para dentro. Tentando me entregar uma encomenda. Mas recuando a cada vez que eu fechava a porta em um estrondo.

Eu estava do lado de dentro olhando para fora. Fiquei estarrecida ao ver que minha crise privada não estava sendo tão privada assim. E ficou claro que nenhuma de nós sabia o que fazer.

Até que ela simplesmente colocou a encomenda na minha varanda e se afastou. Eu queria ir atrás dela. Me explicar. Pedir desculpas. Oferecer um pedaço de bolo. Qualquer coisa. Mas quem iria querer comer um bolo feito por uma mulher aparentemente tão descontrolada? Resignada, tudo o que pude fazer foi assistir à entregadora entrar em seu veículo e ir embora.

Gostaria de poder dizer que dei uma guinada depois daquilo. Mas não posso. Deixei a emoção se instalar e passei o resto do dia de mau humor. E todas as pessoas do meu convívio que não mereciam ser vítimas do caos que eu estava sentindo foram expostas ao descontrole que invadiu meu coração.

O sofrimento não estava apenas me atingindo, mas agora também estava causando sofrimento aos outros. E entrei em ebulição com a mais dolorosa de todas as mentiras entranhadas na minha alma: Fizeram isso comigo. Este sentimento me foi imposto. Me fizeram agir desse jeito. Escreveram na minha vida um roteiro de enorme mágoa do qual eu jamais escaparei, do qual jamais vou me curar totalmente e jamais poderei perdoar.

Quando alguém o magoa profundamente, é natural você ficar chocado com a total falta de humanidade do outro. É compreensível desejar ter passado longe dele. Presumir que o inferno no qual você está sendo forçado a viver tem uma relação direta com algo que ele optou por fazer e que nunca será desfeito. Sentir-se perseguido por uma versão negativa daquele que lhe causou tanta dor e quase sentir que ele está do seu lado, enquanto você rumina a crueldade sem parar. Sentir-se mudado para sempre de maneiras que você não queria mudar.

Se nunca tivessem feito aquilo, você não estaria neste lugar de sofrimento. Eu não estaria neste lugar ou neste estado. Me debatendo, berrando, assustando a entregadora. E me perguntando: Será que vou sobreviver a isso?

Peguei meu diário. Não rasguei o que escrevi sobre o perdão. Mas escrevi uma narrativa refutando o que tinha escrito.

É tudo tão cruel. Parece que vai ser impossível superar isso. Eu li os versículos da Bíblia. Conheço de cor as instruções de Deus: perdoem e serão perdoados. Mas simplesmente não consigo pensar em como colocar isso em prática. Juro que tentei. Eu disse as palavras de perdão que deveria dizer. Então, por que essa raiva ainda circula no meu coração, assume as rédeas das minhas melhores intenções e sai pela minha boca sem qualquer controle? Parece que sou imune ao perdão. Não venha me pedir para perdoar como Jesus perdoa. Eu não sou Jesus.

Fechei o diário. Corri o risco de fechar meu coração à verdadeira cura, só que esta mensagem de perdão nunca deixou de me encontrar. E acredito que o fato de este livro ter chegado às suas mãos, e de você ter chegado até aqui, prova que a mensagem quis encontrá-lo também.

Antes de implorar para você continuar lendo, acho importante lhe assegurar de uma coisa. Não estou lhe pedindo para abraçar o perdão. Ainda não. Eu mesma não consegui começar por aí, então, quem sou eu para pedir isso a você? Tudo o que peço é para você se abrir à possibilidade de tirar o poder das mãos da pessoa que o magoou.

Não tenho como remover a sua dor. Mas posso ajudá-lo a se livrar do poder que a mágoa tem sobre você. A última pessoa do mundo a quem você quer entregar o controle da sua vida é a pessoa que o magoou e é por aí que vamos começar.

Uma dor não resolvida é um gatilho para um caos desenfreado.

O seu jeito de lidar com os gatilhos da dor não resolvida pode não ser tão dramático quanto o jeito que eu, inesperadamente, encontrei naquele dia. Você pode não sair por aí berrando, agitando os braços e batendo as coisas. Eu nem sempre reajo assim. Às vezes, meus gatilhos não são externalizados, mas penetram nas profundezas do meu ser e causam outro tipo de destruição.

De qualquer maneira, enquanto não trabalharmos na cura e não percorrermos o caminho do perdão, o caos será inevitável.

Sua mágoa pode não ter levado a um caos emocional, mas ela pode se expressar em tentativas de fugir e se entorpecer, como consumir pornografia, se automedicar, fingir ser perfeito ou flertar com aquela pessoa com quem você está falando em segredo no Facebook. Ela pode estar na bebida alcoólica, no desinteresse por tudo, na falta de respeito pelos outros, na mania de atribuir todo tipo de rótulo negativo às pessoas.

Ela pode se revelar quando você faz birra, dá o gelo em alguém ou tenta manipular e controlar as pessoas.

Ou pode só estar se escondendo atrás de coisas que não são diretamente associadas ao rancor. Mas a dor se expressa. A mágoa nos persegue. O sofrimento se enraíza, mas sempre se agita. Algo sempre vaza e transparece.

Pode ficar tranquilo, pois não estava espiando pela sua janela, espionando todas as suas ações nem esperando para expor aqui tudo o que está acontecendo na sua vida. Estou expondo a mim mesma. Eu não tenho todos esses problemas. Mas só um punhado deles é o suficiente para dizer basta. E confesso que a dor e o desejo de perdoar não se misturam bem no meu coração. Vamos começar com a dor.

Uma vez que a dor é infligida, é impossível passar ileso. Como vimos, quanto mais nos deixamos consumir pela nossa dor, mais seremos controlados por ela. Quem o magoou, quem me magoou, já causou dor suficiente. Ele já nos feriu o suficiente. Mas então o que eu faço com a minha dor? Devo reconhecer essa dor. E o que fazer com meus sentimentos decorrentes da dor? Devo assumir que eles são meus para que possa ter algum controle sobre eles. É verdade que a dor foi causada por alguém, mas os sentimentos resultantes são meus e só eu posso lidar com eles.

E eu não tenho como lidar com os sentimentos se eu não assumir que eles são meus.

Não tenho como ficar esperando que alguém faça alguma coisa para me fazer sentir melhor com a situação. Se eu precisar que alguma outra pessoa resolva a situação antes de eu buscar a mudança, corro o risco de passar um bom tempo sem ser curada. Vou paralisar meu progresso esperando por algo que pode não acontecer.

Não estou desconsiderando a relação de causa e efeito. A pessoa que me magoou pode ser a causa da dor. Mas ela não tem como curar a minha dor. Nem restaurar a minha vida.

Foi pensando assim que meu processo de cura ficou paralisado vez após vez. Culpar a pessoa que me magoou tira de mim o poder de mudar e o transfere à pessoa. Fico acreditando que, enquanto a pessoa se recusar a admitir que errou, eu não tenho o poder de mudar. Ou que, mesmo se a pessoa admitir que errou, se o erro não for reparado, minha vida vai ser diferente para sempre, o que também me tira o poder de mudar.

Espero que você ouse murmurar comigo: *Hoje é o dia em que essa situação termina. Repita comigo. Hoje é o dia em que eu dou fim à busca inglória e desesperançada de esperar que o outro corrija o erro para eu poder receber as gloriosas e esperançosas possibilidades deste novo dia.*

Muitos se perdem na desilusão dessa busca, ficam paralisados, com raiva e toda a possibilidade de paz se extingue de sua vida. Mas é na esperança das possibilidades que começa o processo de perceber que a cura é possível.

Nós vemos o que buscamos. O que vemos decide nossa perspectiva. E nossa perspectiva se torna nossa realidade. Quero que a minha realidade deixe de ser definida pela busca desesperançada de reescrever o ontem. Quero aceitar o que aconteceu – sem permitir que isso me roube todas as minhas possibilidades futuras – e aprender a seguir em frente.

Falamos anteriormente sobre dois marcos divisores da história. AC: Antes da Crise. DC: Depois do Colapso. Pois acabamos de descobrir um terceiro marco. É ER: Esperança Ressuscitada.

> *Nós vemos o que buscamos. O que vemos decide nossa perspectiva. E nossa perspectiva se torna nossa realidade.*

É assim que gostaria que a história fosse marcada. Afinal, esse é um reflexo muito mais verdadeiro do momento que todos nós estamos vivendo. Não 2020 anos depois da morte de Cristo. A realidade é que a morte de Jesus só durou três dias, mas Sua esperança ressuscitada vive conosco até os dias atuais.

A possibilidade de esperança é o que anseio buscar para que a esperança seja o que verei. E para que, quando eu começar a vê-la, essa percepção tenha um efeito multiplicador.

Já aconteceu de você começar a gostar de um modelo de carro e, apesar de nunca ter notado esse carro na rua, sem querer começa a procurá-lo sempre que sai de casa? E, quando você o procura, o carro parece estar em todo lugar! Você vê dois no seu bairro, outro parado do seu lado no semáforo e vários outros no estacionamento do shopping. Como é que você nunca tinha notado e, de repente, o carro parece estar por toda parte? Não é que os carros apareceram do nada naquele dia. São grandes as chances de eles já estarem rodando nas ruas por um bom tempo... mas, se você não estivesse procurando por eles, provavelmente não os notaria.

Este é o efeito multiplicador de escolher buscar algo: você começará a ver o que busca cada vez mais. No caso da esperança, quanto mais você vir evidências dela, mais certeza terá de sua presença na sua vida. Quando você vê evidências de sua presença, uma nova perspectiva se forma. E, melhor ainda, essa nova perspectiva se torna uma nova realidade.

Então, por onde começamos? Afinal, ver a esperança não é tão simples quanto ver um sedã vermelho ou uma picape branca na rua. O melhor lugar para começar a procurar algo é voltar para onde você o perdeu.

Não posso dizer que perdi totalmente a esperança. Mas sei dizer onde a minha esperança diminuiu. Foi onde parei de ver a beleza da vida, do amor e de contar com a ajuda de Deus.

Vamos voltar ao lugar onde eu estava quando esta mensagem me encontrou.

Foi onde o perdão ainda parecia cruel.

Foi onde parei de ver o belo.

Enquanto não **trabalharmos** na cura e não **percorrermos** o caminho do perdão, **o caos** será inevitável.

CAPÍTULO 4

COMO É POSSÍVEL PERDOAR QUANDO ME SINTO ASSIM?

ENTREI NA CONSULTA com meu orientador espiritual, Jim, arrependida de não ter cancelado. Mas não aquela seria uma consulta normal, de uma hora. Seria uma consulta de um dia inteiro, cara demais para eu simplesmente deixar de ir.

Eu não vinha dormindo bem. Meus olhos estavam inchados. E, por mais que tentasse, não conseguia me lembrar se tinha passado desodorante naquele dia. Que situação. Fiquei pensando se ajudaria passar o purificador de ar com aroma de pêssego que eu tinha visto outro dia no banheiro do consultório. No intervalo, fiquei de ir ao banheiro tentar.

Eu não queria falar, só chorar. Meu cabelo estava pesado de tanto xampu a seco e embaraçado por falta de pentear. Tentei em vão alisá-lo com as mãos antes de torcê-lo em um coque de qualquer jeito, sabendo que devia ter lavado a cabeça dois dias atrás.

Mas quem tem energia para esse tipo de coisa quando a vida parece ter sido esvaziada de repente da forma mais injusta? O vazio tem um peso que não motiva ninguém a se importar com a aparência.

"Jim, não sei como perdoar. Ele não se arrepende do que aconteceu. Nem alguns dos envolvidos que também me magoaram. Eles não acham que fizeram alguma coisa errada. Eles não ligam para isso. Eles estão curtindo a vida."

E eu aqui, sentada no consultório de Jim, tão cheia de mágoas que me pergunto se não vou me afogar nas minhas lágrimas.

COMO É POSSÍVEL PERDOAR QUANDO ME SINTO ASSIM?

Como é que eu posso trabalhar no perdão se eu não tenho a mínima *vontade* de perdoar? Eu não quero perdoar. Posso estar totalmente arrasada agora, posso ser tudo, menos falsa.

Esperava que ele concordasse que ainda não era hora de eu trabalhar no perdão e que seria melhor mudar o foco do dia. Estava claro que havia muitas outras coisas que eu podia melhorar. Por exemplo, cuidar mais da higiene pessoal.

Não me lembro do que Jim disse diante de toda a minha resistência. Só lembro que não mudamos o foco e que a lição que aprendi naquele dia sobre o perdão mudou minha vida.

Jim não se dissuadiu com meu discurso de que não queria nem tinha vontade de perdoar ou que meus sentimentos não estavam cooperando com o perdão. Pelo contrário, ele achou que a intensidade da minha resistência até ajudaria no exercício daquele dia. Fiquei confusa. Já bastava todos os fracassos pelos quais eu estava me culpando, não queria incluir "fracasso em perdoar" na lista. Já tinha passado da hora de eu ir ao banheiro procurar aquele purificador de pêssego.

Quando voltei cheirando como uma torta de pêssego que acabou de sair do forno, Jim me entregou uma pilha de cartões em branco.

"Lysa, você quer se curar disso?"

Balancei com a cabeça que sim. Eu queria me curar.

Eu queria começar a sair desse buraco onde tudo era escuro, confuso e sem esperança. Mas eu achava que, para começar a me curar, eu precisava me sentir melhor com a situação e com as pessoas envolvidas.

Naquele momento, muitos dos meus relacionamentos estavam abalados. Quando a vida de uma pessoa implode, as pessoas têm reações diferentes. A maioria das pessoas demonstra compaixão, mas não todas.

Eu não só tinha acabado de perder o que acreditava ser verdadeiro em meu casamento, mas eu também estava tentando sobreviver ao choque de todas as reações imprevisíveis das pessoas ao que aconteceu.

Eu sabia que levaria anos para processar as consequências.

Mas, de longe, a realidade mais complicada daquele período da minha vida estava sendo o fato de eu ter passado meses sem ver Art. Estávamos separados. E camadas e mais camadas de realidades complicadas nos impediam de conversar e processar o que aconteceu.

Como poderia começar a me curar sem alguma resolução, restituição ou reconciliação com Art ou com as outras pessoas que me magoaram?

Eu achava que tudo precisava ser resolvido.

Eu achava que os que foram injustos comigo precisavam admitir o erro antes.

Ou que, pelo menos, algum tipo de justiça colocasse meu mundo, que estava de cabeça para baixo, de volta ao lugar.

Se isso acontecesse, alguma coisa pareceria justa nessa situação toda e, só então, poderia pensar em perdoar. E, só então, poderia me curar.

Mas, enquanto Jim falava, comecei a perceber que poderia nunca ter esse senso de justiça. Mesmo se, na melhor das hipóteses, as pessoas que me magoaram se arrependessem de repente e admitissem tudo o que fizeram, nada poderia desfazer o que aconteceu. Não eliminaria os danos. Não apagaria as memórias. Não me curaria instantaneamente nem consertaria a situação.

E muito provavelmente a melhor das hipóteses não ocorreria na maioria das situações importantes da minha vida das quais saí magoada. Os grandes conflitos raramente são tão claros e "certinhos".

E, por isso, eu tinha de separar minha cura das escolhas dos outros. Minha capacidade de me curar não pode depender das escolhas dos outros, mas apenas das minhas próprias escolhas.

Eu me lembro exatamente de onde estava quando finalmente me dei conta do que Jim estava tentando me ensinar sobre separar minha cura das escolhas dos outros. Eu estava em Israel.

Era um dia quente. Eu queria que o guia se apressasse e terminasse logo sua explicação para podermos ir para um lugar mais fresco. Mas, então, ele disse algo que me abalou: "Jesus não fez muitos milagres de cura em Jerusalém, pelo menos não os milagres que foram registrados".

Durante toda a minha vida, quando lia sobre os milagres de Jesus, imaginava a maioria deles acontecendo na cidade de Jerusalém ou nas proximidades. Eu tinha ido muitas vezes à Terra Santa para estudar a Bíblia, mas foi só na minha oitava visita que o guia apontou esse fato.

No livro de João, apenas dois milagres de cura foram feitos por Jesus em Jerusalém. Um deles foi a cura do paralítico no tanque de Betesda, registrado em João 5. O outro foi a cura do cego no tanque de Siloé em João 9.

Nos dois casos, a cura veio depois que eles decidiram obedecer ao Senhor, uma escolha que não depende das ações de ninguém.

Muitas pessoas acreditavam que, quando os anjos agitavam a água do tanque, o primeiro que entrasse na água era curado de qualquer doença que tivesse. Em princípio, o paralítico achava que precisava da cooperação das pessoas para chegar até o tanque. Quando Jesus lhe perguntou: "Você quer ser curado?" o paralítico não respondeu "Sim!", mas se justificou a Jesus dizendo que ninguém o ajudava a chegar à água.

Não é incrível que o homem estivesse tão focado no que os outros precisavam fazer a ponto de quase perder o milagre de Jesus? Essa história me fez rever os meus conceitos em muitos níveis. Eu não estava fisicamente paralisada como aquele homem, mas sei muito bem como é ser incapaz de seguir em frente porque as pessoas não estão cooperando como acho que elas deveriam cooperar. No entanto, Jesus nunca disse uma palavra sobre as pessoas nas quais o paralítico parecia tão focado.

Jesus simplesmente o instruiu a se levantar, pegar sua maca e andar. E *"imediatamente o homem ficou curado, pegou a maca e começou a andar"* (João 5:9). A cura não envolveu ninguém a não ser o paralítico e Jesus.

O outro milagre, o do cego, é relatado em João 9.

A Bíblia não diz muito sobre o que o cego pensa a respeito das pessoas ao seu redor. Mas lemos que os discípulos queriam muito saber sobre quem causou a cegueira. Alguém precisava levar a culpa. Alguém fez alguma coisa errada.

Jesus derrubou essa suposição. Ele não acusou nem culpou ninguém. Ele disse que a cegueira do homem *aconteceu para que a obra de Deus se manifestasse na vida dele* (João 9: 3). Jesus cuspiu no chão, misturou terra com saliva e aplicou a lama nos olhos do homem, instruindo-o a ir se lavar no tanque de Siloé.

Jesus teve compaixão. Jesus tem o poder.

Jesus sabia que a cura não dependia das ações ou da admissão de culpa de ninguém.

Jesus deu a instrução. O cego obedeceu. Jesus curou. O cego seguiu em frente.

Minha capacidade de cura não pode depender de as pessoas quererem meu perdão, mas apenas da minha disposição de dar o meu perdão.

Naquele dia, em Jerusalém, meu guia explicou: "No Evangelho de João, apenas dois milagres de cura foram realizados por Jesus em Jerusalém. Um deles nos mostrou uma nova maneira de andar. O outro nos mostrou uma nova maneira de ver".

Não sei exatamente tudo o que ele quis dizer com aquilo. Mas corri para pegar meu diário e anotar essa revelação. Escrevi: "Para eu seguir em frente, para eu poder ver além desta escuridão na qual estou hoje, é entre mim e o Senhor. Não preciso esperar que os outros façam nada, nem acusar ou culpar, o que não fará bem a ninguém. Basta eu obedecer às instruções que Deus está me dando neste exato momento. Deus me deu uma nova maneira de andar. E Deus me deu uma nova maneira de ver. É o perdão. E é lindo".

Preciso deixar minha cura nas mãos do Senhor. Preciso me focar no que posso fazer para me aproximar Dele e obedecer a Suas instruções. O que Ele quer de mim é o perdão.

Preciso separar minha cura do arrependimento dos outros. Minha capacidade de cura não pode depender das pessoas quererem meu perdão, mas apenas da minha disposição de dar o meu perdão.

E preciso separar minha cura de qualquer senso de justiça quanto à situação. Minha capacidade de cura não pode depender dos outros arcarem com as consequências de sua desobediência, mas apenas da minha obediência em confiar na justiça de Deus, mesmo se isso não ficar claro aos meus olhos.

Minha cura é uma escolha minha.

Eu posso me curar. Eu posso perdoar. Eu posso confiar em Deus. E nenhuma dessas belas realidades está nas mãos dos outros.

A cura leva tempo. Mas preciso avançar na direção da cura se tiver esperança de um dia chegar lá. E o perdão é um bom passo na direção certa. Não só bom, como necessário.

Quando não avançamos, quando ficamos presos em nossa dor, incapazes de escapar das garras dessa dor ameaçadora, o trauma se enraíza. Quando insistimos em reviver o que aconteceu em nossa mente, vez após vez, continuamos vivenciando o trauma como se ele estivesse acontecendo no presente. O tempo para de repente, nosso coração dispara nos aterrorizando com batimentos imprevisíveis e descontrolados e o nosso cérebro fica soando alarmes internos para nos avisar que não estamos mais em segurança. Pode até ajudar por um tempo, para nos afastar do perigo imediato, mas não é saudável passar muito tempo vivendo assim. Mais cedo ou mais tarde, precisamos nos aproximar de um estado de cura, de descanso. Mais cedo ou mais tarde, precisamos chegar a um lugar onde paramos de ruminar nossa mágoa. "O cérebro e o corpo são programados para correr de volta ao lar e buscar abrigo onde a segurança pode ser restauradora e os hormônios do estresse podem parar de fluir".[2]

Seguir em frente é muito mais do que uma boa teoria.

Seguir em frente é absolutamente vital.

Li e reli a frase da citação anterior: "O cérebro e o corpo são programados para correr de volta ao lar".

Lar. Sou programada para correr de volta ao lar. Em Hebreus 13, a Bíblia usa os seguintes termos:

> *"Pois não temos aqui nenhuma cidade [ou lar] permanente, mas buscamos a que há de vir. Por meio de Jesus, portanto, ofereçamos continuamente a Deus um sacrifício de louvor, que é fruto de lábios que confessam o Seu nome. Não se esqueçam de fazer o bem e de repartir com os outros o que vocês têm, pois de tais sacrifícios Deus se agrada..."*

> *O Deus da paz, que pelo sangue da aliança eterna trouxe de volta dentre os mortos o nosso Senhor Jesus, o grande Pastor das ovelhas, os aperfeiçoe em todo o bem para fazerem a vontade dele e opere em nós o que lhe é agradável, mediante Jesus Cristo, a quem seja a glória para todo o sempre. (versículos 14 – 16, 20 – 21)*

Posso almejar a eternidade um dia, mas não preciso esperar para vivenciar minha cidadania celestial. Posso trazer o céu à terra hoje mesmo praticando a misericórdia em minha vida e alinhando minhas ações com os desígnios de Deus. Pense no Pai-Nosso: *"Seja feita a tua vontade [de Deus], assim na terra como no céu"* (Mateus 6:10). Meu coração está em casa na segurança da verdade de Deus. Parafraseando o versículo do livro de Hebreus, Deus me equipará com todo o necessário para realizar Sua vontade. Ele me dará o poder para obedecer Suas instruções. Eu correrei em direção ao perdão que Deus ordena. E só então encontrarei a paz que Ele oferece.

Recusar-se a perdoar é recusar a paz de Deus.

Eu estava cansada de recusar a paz.

Então, peguei os cartões em branco que Jim me deu e comecei a anotar tudo o que precisava perdoar Art por ter feito, um fato por cartão. Era importante para o meu cérebro começar me focando só no que havia acontecido entre nós. Depois disso, quando outras pessoas e outras mágoas me vieram à mente, também as anotei e coloquei os cartões em uma pilha separada.

Em um cartão após o outro, documentei todos os fatos que consegui lembrar e que me causaram tanta mágoa. Jim me instruiu a colocá-los no chão virados para cima em uma longa fileira que serpenteava pelo consultório. Ele me entregou uma pilha de quadrados de feltro vermelho um pouco maiores do que cada cartão e me instruiu a declarar meu perdão por cada fato. A ideia era eu selar cada declaração de perdão colocando um pedaço de feltro vermelho em cima do cartão, simbolizando o sangue de Jesus e Seu sacrifício para sermos perdoados.

Às vezes, as mágoas se recusam a cooperar com as instruções sagradas. É por isso que devo incluir ao processo um pouco do que Jesus fez na cruz. Nenhum ato de perdão foi mais sagrado que a crucificação. E foi o sangue de Jesus vertido pelos nossos pecados que foi o ingrediente de redenção que resultou em um perdão que jamais teríamos obtido ou conquistado pelos nossos próprios méritos. (Veja mais explicações na nota.)[3]

Faz muito sentido incluir o sangue derramado de Jesus em meu ato de perdão quando perdoar me parece tão difícil... talvez até impossível. Jesus faz com que isso seja possível.

"Eu perdoo Art por guardar segredos. E o sangue de Jesus me permitirá dar todo o perdão que os meus sentimentos ainda não conseguem dar."

"Eu perdoo Art por violar nossos votos de casamento. E o sangue de Jesus me permitirá dar todo o perdão que os meus sentimentos ainda não conseguem dar."

"Eu perdoo Art por trair minha confiança. E o sangue de Jesus me permitirá dar todo o perdão que os meus sentimentos ainda não conseguem dar."

Ao repetir esse processo com um cartão após o outro, tive um momento marcante e o perdão foi esvaziando meu coração do peso dos fatos do que aconteceu. Não é que todos os acontecimentos tenham sido apagados da minha memória (falarei sobre isso em breve). Mas, ao repetir esse processo com um fato de cada vez, pude me livrar de todos aqueles fatos que estavam trancados em meu coração, que estavam presos no grande emaranhado de toda uma situação que parecia ser grande demais para perdoar. Um por um, identifiquei todos os pedaços do que parecia ser um pesadelo sem fim. E, ao verbalizar o que aconteceu, finalmente senti que tinha uma voz em meio ao caos.

Minha dor não precisava ser validada por Art nem por qualquer outra pessoa. Ela só precisava ser verbalizada – identificada, dita em voz alta, reconhecida como real – e trazida à luz.

O simples fato de expressar toda a dor na forma de uma lista devolveu um senso de dignidade ao meu mundo.

E me dei conta do que significava cooperar com o perdão de Jesus. Significava me ver como Jesus me vê: com meus defeitos, mas, ainda assim, escolhida e digna de perdão. Significava ver Art como Jesus o vê: com seus defeitos, mas ainda assim escolhido e digno de perdão. E, acima de tudo, o exercício me livrou da pressão de ter de esperar meus sentimentos colaborarem com o perdão. Bastava me dispor a perdoar. Eu não precisava mais "consertar" meus sentimentos.

Vou repetir o que acabei de dizer porque não quero que você deixe a mensagem passar: bastava eu me dispor a perdoar. Eu não precisava mais "consertar" meus sentimentos.

O que Jesus fez na cruz se encarregaria de tudo o que meus sentimentos não permitiam. Posso levar anos para esmiuçar e curar meus sentimentos..., mas a decisão de perdoar não precisava esperar tudo isso acontecer.

Percebi que a decisão de perdoar era um passo importante que eu deveria dar o mais rápido possível. Seria importantíssimo manter em mente esse momento marcante para me assegurar do progresso que estava fazendo em direção à cura.

Caso contrário, a natureza da cura, que envolve avançar dois passos e voltar um, avançar três passos e voltar seis, avançar cinco passos e voltar um, me faria duvidar de estar fazendo qualquer progresso. Se você fizer as contas, verá que está dando mais passos para a frente do que para trás. Mas a cura emocional está longe de ser linear e organizada como um problema de matemática.

É difícil ver o progresso quando emoções intensas turvam a nossa visão.

E pode ser difícil ver o progresso em direção ao perdão quando a raiva e a confusão decorrente da mágoa não se dissipam quando verbalizamos uma declaração de perdão. Fique tranquilo. Isso não só é normal como faz parte do processo.

Agora preste muita atenção. Vou lhe revelar um dos segredos mais importantes para continuar no caminho para a completude depois de ter sido profundamente magoado. O perdão é ao mesmo tempo uma decisão e um processo.

Você decide perdoar os fatos do que aconteceu. Mas você também precisa percorrer o processo de perdoar o impacto que os acontecimentos tiveram sobre você.

Todo trauma tem um efeito inicial e um impacto no futuro. No meu caso, o efeito inicial foi descobrir que meu marido teve um caso e sentir os abalos imediatos resultantes dessa descoberta no meu mundo. O choque e a devastação pelos quais passei no período do trauma se tornaram fatos da minha história. Esse período já passou e muitos anos de cura se passaram, mas ainda acontece de eu tropeçar em uma memória negativa. Ou ficar abalada com algo que alguém diz e ser varrida por uma onda de dor. Ou tomada por um medo que provoca todo tipo de ansiedade e pensamentos irracionais.

Esse foi o impacto que o trauma provocou em mim.

Por exemplo, se um carro furou o sinal vermelho e colidiu contra o seu carro com tanta força que quebrou sua perna em vários lugares, esse é o fato do que aconteceu. Mas, mesmo muito depois de sua perna sarar, você pode andar mancando, sentir dor ou não conseguir mais correr. Em outras palavras, você continua sendo afetado pelo impacto do acidente.

Mesmo se você conseguir perdoar o motorista pelo fato do que aconteceu, vários gatilhos podem continuar causando reações emocionais em sua vida. Quando você abre o armário e vê seus tênis de corrida, algo que você gostava tanto de fazer e que lhe foi roubado sem você ter qualquer controle, isso pode ser um gatilho para uma onda de sentimentos. Os sentimentos podem incluir desilusão e amargura pela injustiça da situação. Você pode até criar histórias na sua cabeça, imaginando o motorista que causou o acidente correndo no parque sem qualquer preocupação. Você pode ser tomado por uma raiva tão intensa que quase chega a exigir que você faça alguma coisa para corrigir a injustiça.

E, com a raiva, a confusão também aumenta. Você pode até já ter verbalizado que perdoou o motorista. E até pode ter sido sincero. Mas como é que, mesmo depois de ter perdoado, você ainda sente essa raiva beirando à fúria em seu coração?

Como falamos, mesmo depois de tomar a decisão de perdoar, gatilhos como esses vão lembrá-lo de que você também precisa percorrer o processo de perdoar a pessoa pelo impacto que o incidente teve sobre você. Em nosso exemplo, esses gatilhos surgirão a cada vez que você lembrar que sua perna não é a mesma do que foi antes do acidente.

Quando os gatilhos surgem, parecerá que você voltou ao dia do trauma original.

Isso já aconteceu com você? Comigo também.

Quando isso acontece, começamos a nos questionar... e a duvidar... e a perder a esperança. Pode ser que o perdão não leve a nada. Ou pode ser que o problema está no *nosso* perdão. Ficamos nos perguntando se tem alguma coisa de errada conosco. Pode ser que simplesmente não somos capazes do tipo de perdão que outras pessoas – pessoas aparentemente melhores que nós – são capazes. Ou pode ser que a ofensa tenha sido grande demais. Ou pode ser que nossas emoções são frágeis demais.

Ou pode ser que nos limitamos a dizer as palavras, mas, na verdade, nunca as sentimos no fundo do nosso coração.

Pode ser. Mas e se disséssemos as palavras – mesmo se os nossos sentimentos ainda não estivessem alinhados com nossa decisão de perdoar – e entregássemos para o Senhor preencher todas as lacunas? Nesse caso, nossa decisão seria real. Então, para que continuar lutando contra emoções decorrentes de um incidente que já perdoamos?

A decisão de perdoar não elimina todas as emoções negativas. Não remove automaticamente a raiva, a frustração, a dúvida, a desconfiança ou o medo.

Para trabalhar nessas emoções, devemos dar início ao processo de perdoar a pessoa pelo impacto.

Lembre-se de que a decisão de perdoar deve passar pelo reconhecimento dos fatos do que aconteceu. Mas a jornada muito mais longa do perdão envolve todas as várias maneiras nas quais você foi afetado pelos fatos, ou seja, o impacto que eles causaram.

Minha jornada com Art foi demorada e brutal. Em alguns anos, o divórcio parecia tão iminente que eu mesma fiquei pasma com a reconciliação.

O processo envolveu a lenta reconstituição do que se estilhaçou em mil pedaços.

Envolveu arrependimento. Envolveu perdão. Envolveu uma aceitação de que, só porque algo passou um bom tempo errado, não significa que não possa ser consertado com o tempo. Envolveu alguma cura que nós dois fizemos individualmente. E a decisão de que tinha chegado a hora de nos curarmos juntos.

Fizemos uma bela renovação dos votos.

Se um dia eu e você nos encontrarmos pessoalmente, vou adorar lhe mostrar as fotos e os vídeos daquele dia. E contar mais sobre o que aconteceu. Mas aquele não foi o fim da história. Longe disso.

Como disse, mesmo quando tomamos a decisão de perdoar os fatos de como fomos feridos, ainda precisamos passar pelo processo de perdoar o impacto que afetará nossa vida por meses, anos e, talvez, até décadas depois.

E Art não foi responsável, sozinho, por toda a dor do colapso do meu casamento. Eu também tinha de perdoar outros envolvidos.

Poucos meses depois de nossa renovação de votos, Art e eu estávamos conversando. Não estávamos falando de nada difícil nem pesado. De repente, ele mencionou o nome de uma amiga que me magoou muito na época em que minha vida desmoronou. Art não imaginava que eu ainda estava tão magoada com aquela pessoa. A simples menção do nome dela me trouxe um peso que sentia que não tinha como controlar.

Meu coração disparou.

Meu rosto e nuca esquentaram.

Minhas mãos começaram a suar e minha garganta apertou.

Olhei para Art com lágrimas nos olhos e disse: "Fico arrasada só de ouvir o nome dela. Eu a perdoei. Eu sei que ela não sabia que eu ficaria tão magoada com o que ela fez. Eu até consigo ver como Deus usou o que ela fez para o bem. Mas ainda me incomodo tanto com o que aconteceu que o meu corpo reage às emoções que surgem sempre que penso nela".

O mais estranho é que, em comparação com outras coisas que tive de perdoar, o que aquela pessoa fez não foi horrível. Mas, como eu ainda estava sentindo o impacto, os danos eram profundos. Soube que precisaria ter outro importante momento de perdão por tudo o que eu estava sentindo.

Quando a perdoei, na sessão com Jim, pelo fato do que aconteceu, tudo o que fiz foi escrever o que ela fez em um dos cartões e cobri-lo com o feltro vermelho. Agora precisaria repetir o exercício para perdoar essa amiga pelo impacto causado por sua ação. "Eu a perdoo por ter sido insensível à minha dor e dizer coisas que me fizeram sentir depreciada e criticada. Eu a perdoo pelos sentimentos de ansiedade que continuo sentindo em meu coração e por reduzir minha capacidade de confiar em outros amigos."

Eu não tinha comigo nenhum cartão em branco nem os quadrados de feltro vermelho que Jim tinha em seu consultório quando fizemos o exercício juntos. Eu só fechei os olhos e fiz o exercício mentalmente. Terminei orando: "E o sangue de Jesus me permitirá ofertar todo o perdão que os meus sentimentos ainda não conseguem ofertar. Amém".

É assim que o perdão é ao mesmo tempo uma decisão e um processo. Cada ofensa requer um momento marcante que envolve abrir mão do rancor que ameaça roubar nosso controle e nos impedir de seguir em frente.

Mas tudo bem se você ainda estiver lutando com sentimentos não resolvidos. Como Jim me explicou, a decisão de perdoar os fatos do que aconteceu é tomada em um momento pontual no tempo. Mas o processo de trabalhar todas as emoções resultantes do impacto do que aconteceu, provavelmente, acontecerá com o tempo.

Esse exercício não corrige nem muda o que aconteceu, mas me dá uma opção além de chafurdar na dor de tudo isso. Consegui parar de querer ruminar o que minha amiga fez e todas as maneiras como aquilo me magoou e consegui voltar à conversa com Art.

No passado, as emoções resultantes desse tipo de gatilho teriam sabotado nossa conversa toda. Eu teria culpado Art pela mágoa causada pela minha amiga e mergulhado no caos. E, provavelmente, nós dois teríamos saído magoados da conversa. Ele teria levado minhas emoções para o lado pessoal. Eu teria me ressentido por ele não me entender. Teríamos desperdiçado muita energia fazendo exatamente o que o inimigo queria: nos dividir. Mas agora sabemos como evitar isso.

Não pense que meu progresso foi um mar de rosas. Em muitas outras ocasiões, conversas como aquelas terminaram em desastre. Mas estou melhorando. E Art também. E sei que grande parte disso envolve percorrer o processo de perdoar vez após vez.

Sim, os gatilhos podem ser terrivelmente perturbadores e pode ser dificílimo lidar com eles. Mas estou até começando a vê-los de um jeito diferente. Costumava pensar como era injusto ter de lidar, vez após vez, com o impacto do evento traumático sempre que os gatilhos me lembravam do que aconteceu.

Por que não resolver tudo de uma vez? Alguém nos magoa. Nós perdoamos. E seguimos em frente.

Talvez seja pela misericórdia de Deus.

Quando me senti tão magoada com minha amiga, além de ter sido magoada por Art, se eu fosse sentir de uma só vez todo o peso do impacto emocional, poderia não ter sobrevivido. Não estou sendo dramática. Meu corpo foi profundamente afetado pelas consequências emocionais. Se você leu meu último livro, sabe que quase morri na pior fase do trauma, quando meu cólon se torceu e cortou o fluxo de sangue para o intestino. Fui levada às pressas para uma cirurgia de emergência, a maior parte do meu cólon foi removida e passei semanas na UTI lutando pela minha vida.

O cirurgião contou que, quando me abriu, o trauma estava tão grave que parecia que eu tinha sido atropelada por um ônibus. Nem todo mundo tem a chance de somatizar e ver, com os próprios olhos, os efeitos concretos de agarrar-se à dor, ao ressentimento e ao rancor. Mas vi algumas fotos da minha cirurgia, e estou mais convencida do que nunca de que o trauma emocional é tão grave e impactante quanto qualquer outra coisa.

Acho que não teria sobrevivido se tivesse de encarar todo o impacto de uma só vez. Poder processar o impacto no decorrer dos dias, semanas e anos que se seguiram é uma graça de Deus por várias razões.

Quanto mais trabalho na minha cura, mais entendo os sentimentos causados pelos gatilhos. Eles não me consomem com a mesma intensidade de antes. Eles ainda me incomodam, porque trazem consigo uma energia que ameaça me levar a um lugar aonde não quero ir. Eles ainda podem me dar vontade de chorar, de me fechar ou podem me dar medo ou me fazer me sentir ameaçada. Mas melhorei muito na tarefa de encontrar o espaço entre o sentimento e a reação. Nem sempre é tão imediato. E os sentimentos provocados pelos gatilhos não me fazem perder tanto o chão como acontecia antes. Eu me abro para o sentimento e abro um tempo para entendê-lo.

Sou mais capaz de discernir o sentimento e o que fazer com ele. Uso uma série de perguntas para me ajudar a fazer isso.

Por exemplo, se eu sou tomada por uma onda de tristeza quando vejo uma foto daquele período difícil do nosso casamento, tento separar o que é verdadeiro e o que não é verdadeiro sobre a foto.

Eu me permito alguns momentos para lamentar o que foi perdido. Observo qualquer sentimento de medo que o gatilho pode despertar. É o medo que sobrou daquela época ou um medo novo ao qual preciso prestar atenção? Também avalio o que sinto em relação à pessoa em uma escala que vai de "Bem", "Neutro", "Frustração", "Mágoa", "Raiva" e "Desejo de vingança". Vejo se preciso processar o sentimento em voz alta com alguém ou se basta escrever no meu diário.

Lembro que a dor que a pessoa me causou, provavelmente, resulta de uma dor que ela já tinha. Isso não justifica suas ações, mas me ajuda a ter compaixão pela dor que ela certamente sofreu. Não preciso conhecer o passado da pessoa. Posso simplesmente deixar essa percepção tirar meus pensamentos da maneira como a pessoa me magoou e me focar em como ela deve ter sofrido. E, nessa compaixão, encontro um ponto em comum de que somos só seres humanos tentando encontrar nosso caminho. Falaremos mais adiante sobre o importante papel, no processo de perdão, da compaixão e dos pontos em comum.

Por enquanto, percebo que a dor que passou através da pessoa e chegou até mim é uma oportunidade mais épica do que jamais imaginei. Se eu não tomar cuidado, essa dor pode passar através de mim e chegar a outras pessoas. Ou posso impedi-la de seguir adiante, aqui e agora. O mundo pode ficar um pouco mais sombrio ou um pouco mais iluminado só pela decisão que eu tomar neste momento.

Faço uma reverência com a cabeça, retiro mentalmente outro cartão em branco e outro feltro vermelho e coopero com o perdão do Senhor. "Eu perdoo a pessoa pela maneira como suas ações na ocasião continuam me afetando agora. E o sangue de Jesus me permitirá ofertar todo o perdão que os meus sentimentos ainda não conseguem ofertar."

Outro ato de perdão leva a ainda mais cura e clareza. Outra pincelada intencional de beleza substituindo aos poucos a escuridão por matizes de luz curativa.

O perdão é ao mesmo tempo uma **decisão** e um **processo.**

CAPÍTULO 5

COLETANDO

OS PONTOS

A SITUAÇÃO COM ART FOI TÃO DEVASTADORA PARA MIM, pois destruiu parte da rede de apoio emocional na qual tinha buscado e encontrado segurança por quase 25 anos. Sempre que passava por uma grande dificuldade na vida, costumava pensar: "Pelo menos eu e Art estamos bem". Antes de Art, eu tinha uma crença que me forçava a manter todos os homens à distância. A história da minha vida foi marcada por homens que me arrasaram. Por isso, a história que vivia repetindo a mim mesma era: "Não abra seu coração aos homens. Os homens roubam corações. Não confie neles. Só você pode cuidar de si mesma".

Eu abri uma exceção para Art. E, por um bom tempo, foi ótimo ter feito isso.

De repente, tudo mudou.

E tudo para mim ficou incerto, pois não sabia mais o que pensar sobre o perdão, não sabia como seguir em frente, não sabia o que fazer em seguida. Eu queria poder dizer: "Vou ficar bem mesmo se eu e Art nos separarmos". Mas eu ainda não tinha chegado lá. Eu queria ter chegado. Mas havia mais trabalho a ser feito. E eu sabia que o trabalho envolveria identificar outras narrativas e crenças que estavam me puxando para baixo e me paralisando.

Como contei no capítulo anterior, a terapia e a orientação espiritual foram uma parte importante desse processo. Mas também foi importante conversar com meus amigos ao redor da minha mesa cinza semana após semana, processando juntos nossas histórias. Falando sobre perdão, amargura e dificuldades nos relacionamentos, encontramos muitos pontos em comum nas nossas histórias de vida. Comecei a ver que escrevemos roteiros para nos ajudar a enfrentar as experiências da vida com base em nossas experiências anteriores. E que esses roteiros se transformam em sistemas de crenças que embasam nossas ações.

Todos nós temos uma história. E todos nós temos uma história que contamos a nós mesmos. Pode ser assustador pensar no passado, entretanto, se quisermos nos curar, precisamos mergulhar em nossas histórias e ver o que está por trás da cortina. O perdão envolve mais do que só o que está diante de nós. Uma parte mais importante da jornada pode envolver descobrir narrativas e histórias do passado que usamos para justificar nossas ações. Entremeado por todas as nossas experiências há um fio que conecta as crenças que formamos no passado com a realidade do presente.

Sei que é difícil, mas vamos lá. Eu começo. Enquanto conto minha história, procure os fios entremeados nas minhas experiências que levaram às crenças que ecoam na minha vida até hoje.

Para me conhecer e entender por que sou assim, você vai precisar conhecer minha mãe, que, durante a maior parte da minha vida, foi meu porto seguro. Minha mãe nasceu no Dia da Mentira, de uma mãe solteira que estava em quarentena em um hospital, e foi imediatamente levada a um orfanato. Não sei exatamente por que, mas sei que a mãe dela estava internada porque foi diagnosticada com tuberculose e achou que fosse morrer. Quando a avó dela ficou sabendo da existência de minha mãe, foi buscá-la no orfanato. Contudo, quando chegou ao orfanato seis meses depois, apesar de o nome de minha mãe em sua certidão de nascimento ser Linda (que é o nome que ela usa até hoje), por alguma razão todo mundo no orfanato a chamava de Ruth. Nunca conseguimos desvendar esse mistério.

Sua avó ficou com sua guarda legal e a levou para morar numa casinha branca em uma grande fazenda de tabaco no estado da Carolina do Norte. Não sei por que a mãe da minha mãe acabou nunca sendo uma mãe de verdade para ela, mesmo depois que receber alta do hospital. Sei que ela tentou sequestrá-la em sua escola primária em várias ocasiões e minha mãe teve de ser resgatada pelos professores, mas minha mãe não se sentia amada quando isso acontecia. Pelo contrário, era morria de medo da mulher que lhe deu à luz. Então, sua avó morreu subitamente no Dia de Ação de Graças, quando minha mãe só estava na primeira série. Mesmo assim, a mãe biológica dela não tentou consertar a situação.

Minha mãe cresceu com seu avô e duas tias que a tratavam com todo o carinho. Eles eram apaixonados por ela, que era a luz da vida deles. Suas tias nunca se casaram. Elas nunca chegaram a se mudar. Até hoje elas moram na mesma casa em que nasceram mais de 80 anos atrás. Elas dedicaram a vida a criar e amar minha mãe, a menina que a irmã delas nunca voltou para buscar...

Minha mãe era ruidosa em uma casa cheia de silêncio. Ela era ousada numa casa onde todos preferiam baixar a cabeça. Uma vez, sua tia Bárbara precisou de uma vassoura e, sem pensar, minha mãe a jogou escada abaixo, acertando sem querer a cabeça de Bárbara com tanta força que a nocauteou. Tenho certeza de que a infância dela teve muitas outras histórias, mas essa é a única da qual me lembro. Essa história descreve minha mãe à perfeição e como seu entusiasmo e energia sempre correm um pouco à frente de qualquer tipo de cautela.

Minha mãe trabalhava nas plantações de tabaco no verão e foi a primeira rainha do baile do novo colégio onde estudava. Ela era linda, corajosa e muito querida.

Isso é praticamente tudo o que sei sobre sua infância.

Ela se casou assim que concluiu o ensino médio e, quando eu nasci, ela ainda era praticamente uma criança.

Meu pai passou praticamente os dois primeiros anos da minha vida servindo no exército. Eu e minha mãe nos tornamos uma equipe, uma força que superava as limitações do lugar paupérrimo onde morávamos, um estacionamento de trailers, ao lado dos pais de meu pai, em uma situação longe do ideal. Minha mãe fala muito pouco sobre a nossa vida morando em um trailer naquele lugar, exceto que todos os móveis eram de plástico. Acho que em algum momento ela simplesmente decidiu que deveria deixar de ser um bebê para que pudéssemos ser amigas. Ela precisava de uma amiga. E, pelo que me contaram, eu adorava esse papel.

Não vai fazer sentido quando você ler o que estou prestes a lhe contar, mas é a mais completa verdade. Tenho fotos antigas para provar isso. Ela começou a me ensinar a usar um penico de plástico rosa para eu não precisar mais usar fraldas quando eu tinha 6 meses de idade. Eu já andava com 8 meses e sabia dizer o Juramento à Bandeira inteiro aos 2 anos. E não foi porque eu era um gênio. Foi porque eu era o único foco de uma jovem mãe vivendo em uma situação muito difícil e que me criou como se eu fosse sua passagem só de ida para sair da solidão.

Nós ríamos, brincávamos e fingíamos ter uma vida luxuosa, que éramos elegantes e sofisticadas e podíamos ir a qualquer lugar do mundo. Dificuldades financeiras, as críticas dos outros, pais que nunca quiseram filhos... nada disso limita a imaginação. Ela era meu porto seguro e eu, o dela.

Não me lembro de muitas regras naquele período da minha vida. Acho que tinha de seguir só algumas regras básicas, como não comer cereais com açúcar e as últimas três coisas que deveria sempre fazer antes de dormir: escovar os dentes, ir ao banheiro e fazer minhas orações. Sigo essas regras até hoje. Elas são uma parte tão integral de mim quanto os olhos verdes e os cabelos escuros de minha mãe.

A única outra regra da infância da qual me lembro era nunca comer massa de cookie crua. Essa regra não fazia sentido para mim, já que minha avó paterna, nossa vizinha no estacionamento de trailers, servia pedaços de carne crua como aperitivo nas noites de sexta-feira. E não estou falando de carne malpassada. Estou falando de carne crua, tirada da geladeira e indo direto para a mesa. Até na infância eu achava aquilo bem estranho. Mas, como os adultos podiam comer carne crua, pela minha lógica comer massa de cookie crua não era nada em comparação e, sempre que podia, roubava uma colherada.

Sempre achei que minha avó era uma das pessoas mais ricas do planeta porque ela encomendava coisas do catálogo da Sears e tinha um carro de quatro portas. Ela era obcecada por limpeza e muito meticulosa. Quando eu comia biscoitos, ela me mandava sentar sobre um cobertor e, a cada mordida, lamber a ponta do biscoito para não deixar cair nenhuma migalha.

Quando eu tinha uns 3 anos e meio de idade, me disseram que ganharia um irmãozinho ou irmãzinha. Não me lembro de como minha mãe me contou a novidade. Só lembro que não gostei nem um pouco da notícia. Parecia que um desconhecido estava prestes a invadir nosso mundo.

Não tenho nenhuma lembrança de ter causado algum problema ou de ter levado alguma bronca de minha mãe antes de minha irmã nascer. Mas, quando ela chegou, veio acompanhada de uma série de novas regras. Não bater. Ser gentil. Falar baixinho para não acordá-la ou assustá-la. Ajudar a cuidar dela. Dividir as coisas com ela. Dar a ela o outro pedaço de pizza. Deixá-la ir primeiro desta vez, porque você foi primeiro da última vez. Segurar a mão dela. Ajudá-la.

Ela era um pedacinho de gente, com cabelinhos escuros espetados, olhos castanhos cor de chocolate e uma pele morena que sempre cheirava a uma mistura de loção de bebê e minha mãe. Hesitei muito em aceitar minha nova irmã, mas minha mãe me ajudou a ver que ela podia fazer parte do nosso time. Ela não veio para dividir nem subtrair nada da nossa vida, mas só a tornaria mais divertida, plena e interessante. E, conforme ela foi crescendo e eu descobri que ela topava limpar meu quarto em troca algumas moedas, fui me apegando cada vez mais.

Meu pai passou alguns anos morando conosco depois que minha irmã nasceu. Nós nos mudávamos muito e acabamos nos estabelecendo na cidade de Tallahassee, no estado da Flórida. Minha mãe se formou em enfermagem e trabalhava no hospital. Minha irmã e eu íamos a pé para a escola todos os dias e só precisávamos cruzar uma grande avenida entre a nossa casa e a escola. Se eu não me engano, foi naquela mesma avenida que minha mãe uma vez levou uma multa por excesso de velocidade. A multa era de 25 dólares e meu pai usou nosso dinheiro do parque de diversões para pagá-la. Minha mãe, minha irmã e eu ficamos arrasadas por não podermos ir ao parque de diversões naquele ano. Meu pai não se abalou. Ele não mudou de ideia mesmo quando nos viu chorar. Fiquei tão brava que disse baixinho um palavrão proibido para me referir a meu pai.

Não sei o que aconteceu, mas, quando eu tinha uns 8 ou 9 anos, retomamos o contato com minha avó, aquela que nunca voltou para buscar minha mãe. Minha mãe lhe deu outra chance. Fiquei empolgadíssima e lembro-me de implorar para minha mãe me deixar ir visitá-la na cidade grande onde ela morava. Acabei me arrependendo muito disso. Minha avó tinha um vizinho que abusou sexualmente de mim.

Quando ia ao médico, minha avó me deixava com ele. E ela ia muito ao médico. Ele me disse que, se eu contasse a alguém, ele iria atrás da minha mãe.

Como adorava a minha mãe, nunca contei a ninguém. Decidi que eu era uma menina má por ter dito aquele palavrão sobre meu pai, por ter roubado chiclete de uma loja de conveniência uma vez e por não ter força nem coragem para fugir do homem mau.

Prometi a mim mesma que seria uma pessoa melhor. O peso em meu coração era indescritível. Decidi que tudo o que dava errado na minha vida resultava de eu violar as regras. Sendo assim, as regras devem ser seguidas. As regras devem ser impostas. E, se não fosse capaz de impô-las, eu deveria encontrar alguém que o fizesse por mim.

Meu pai nunca soube o que aconteceu comigo. E, antes de eu tomar coragem para contar, ele nos deixou. Foi só anos depois, com lágrimas escorrendo pelo rosto, que contei para minha mãe, mesmo com medo de o homem querer se vingar de nós duas. Minha mãe contou ao meu pai. Eu tinha certeza de que ele faria o que fosse necessário para resolver a situação. Ele ficaria arrasado com o que tinha acontecido e voltaria para casa para nos proteger. Não foi o que ele fez. Acho que chorei mais pelo que meu pai deixou de fazer do que pelo que o homem mau fez.

Minha mãe confrontou o abusador. Ela fez o que pôde para me proteger e garantir que a justiça fosse feita. Ele nunca tentou se vingar de minha mãe, mas o medo de isso acontecer, combinado à ausência de meu pai, me manteve por anos em um constante estado de inquietação.

> *O perdão envolve mais do que só o que está diante de nós. Uma parte mais importante da jornada pode envolver descobrir narrativas e histórias do passado que usamos para justificar nossas ações.*

Mais uma vez minha mãe provou que era meu porto seguro. Ela me ajudou a juntar os frangalhos daquele período e, de alguma forma, conseguimos seguir a vida. Comemos muito macarrão instantâneo, mas minha mãe, minha irmãzinha e eu encontramos um senso de normalidade na casinha azul em um bairro simples de Tallahassee. E, tirando a vez em que um motorista bêbado entrou com o carro na nossa casa ou quando minha mãe saiu na primeira página do jornal por resgatar bebês de gambá e alimentá-los com um conta-gotas, a vida foi bem normal por um tempo.

O maior drama daquela época era entre minha irmã Angee e eu. Quero deixar claro que ela está entre as pessoas que mais amo no mundo. Mas, naquela época, eu era a irmã mais velha mandona e ela era a caçulinha sensível. Sempre que eu e minha irmã brigávamos, quem decidia a briga era a minha mae. Ela sempre intervinha e declarava que uma estava errada e a outra, certa. Ela era justa. Ela garantia que as regras fossem seguidas. Eu nem sempre concordava com seu veredito, mas sabia que ela sempre daria um jeito na situação, resolveria o impasse e nos daria um roteiro que incluía uma irmã pedindo desculpas e a outra perdoando.

Depois ela nos abraçava e nos dizia para voltar a brincar sem brigar ou ela se encarregaria de nos dar uma verdadeira razão para chorar.

Minha mãe fez bem em nos ensinar esse roteiro de sermos boazinhas e fazermos as pazes, deixando de lado nosso egocentrismo infantil. Mas essa lição ficou profundamente gravada em mim e não consegui superá-la quando cresci. Meu sistema de crenças no que diz respeito a dificuldades nos relacionamentos e ao perdão incluía expectativas que eram cada vez mais difíceis de ser correspondidas conforme eu crescia. Eu pensava que as coisas deviam ser sempre assim:

- Alguém está claramente errado.
- Alguém está claramente certo.
- Uma pessoa em posição de autoridade julga o que foi feito.
- A pessoa errada é repreendida.
- A pessoa errada pede desculpas.
- A pessoa em posição de autoridade instrui que a ação não deve se repetir.
- A pessoa que foi injustiçada ou magoada fica segura na certeza de que, se a ação for repetida, o transgressor sofrerá as consequências.
- Nesse contexto de justiça e transparência, a pessoa magoada perdoa.
- O perdão leva à reconciliação e o relacionamento é restaurado.

Mas, quando entrei na escola, as coisas mudaram. Os professores não tinham só duas meninas para monitorar. Eles tinham entre 20 e 30 crianças e era impossível intervir para reparar todas as más ações de todas as crianças.

Acho que foi lá pela quinta série que as coisas se complicaram na escola, porque uma linha imaginária começou a dividir os alunos. Os alunos populares vestiam as roupas certas e sabiam usar as gírias certas. Com o tempo, percebi que não fazia parte dessa panelinha.

Meu cabelo não era bonito, meus dentes eram tortos. E não tínhamos condições de comprar as roupas da moda. Pelo menos era assim que tentava justificar a rejeição, no entanto, no fundo, suspeitava que a verdadeira razão eram as coisas do meu passado que eu não ousava contar a ninguém. Talvez eles já soubessem de alguma forma. Mas pelo menos eu tinha alguns bons amigos que não ligavam de não sermos incluídos no grupo popular. Juntos, sobreviveríamos às divisões na escola. Nós éramos os respeitadores das regras. E era bom viver na segurança do nosso grupinho.

Até que as duas meninas que eu achava que sempre estariam ao meu lado viram uma chance de passar para o grupo popular. Para serem aceitas naquele grupo exclusivo, elas tinham de provar que eram ser descoladas, o que implicava ser cruéis comigo. Fui pega totalmente de surpresa. Do nada, no recreio, minhas amigas disseram que eu era feia e que ninguém gostava de mim e me empurraram para eu cair.

Fiquei em choque.

Em uma reação instintiva, levei à professora as minhas lágrimas e a prova de que eu tinha sido injustiçada achando que ela seguiria o mesmo roteiro de minha mãe.

Fiquei pasma quando ela me mandou parar de ser tão melindrosa e me repreendeu por ser mole demais. Meu rosto ficou tão vermelho que parecia estar em chamas. Fiquei com muita vergonha dos meus sentimentos. Dava para ouvir as risadas das meninas que tinham me machucado e fiquei sem coragem de me virar.

Senti em meu peito uma mistura de confusão e alarme. Eu estava ao mesmo tempo triste, furiosa e desesperada para fugir. Fui tomada pelo pânico. Como é possível a professora não fazer nada? Uma enorme angústia percorreu meu corpo.

Eu não sabia quem odiava mais naquele momento... minhas "amigas" ou eu mesma.

Não sei por que essa rejeição foi um momento tão marcante para mim. Eu já tinha sido rejeitada, magoada e traída antes, porem, dessa vez foi em público. E acho que foi por isso que aquele incidente não só me feriu como me deixou morrendo de vergonha diante do que parecia ser o mundo inteiro.

Uma inquietação tomou conta de mim. Eu queria a minha mãe. Mas sabia que ela não podia ficar comigo no pátio do recreio. Não naquele dia. Em nenhum dia. As mães até entravam na escola para uma ou outra festa, mas nunca iam ao pátio do recreio. Passei os olhos pela cerca que delimitava o pátio tentando desesperadamente encontrar uma saída.

Quando constatei que não tinha por onde fugir, cerrei meus dentes, engoli as lágrimas que, segundo a minha professora, não eram aceitáveis na escola. Minhas mãos ficaram dormentes. Fiquei absolutamente apavorada com a realidade chocante de que a única pessoa que poderia me proteger era eu mesma. E eu já sabia que era incapaz de me proteger.

Não só pelo aconteceu no recreio. Mas pela minha avó paterna, que me passou a mensagem de que eu era uma menina terrível por causa das poucas migalhas de biscoito que eu deixava cair. E pela minha avó materna, que abandonou minha mãe e deixou o vizinho fazer o que fez comigo. Pelo meu pai, que não voltou para casa e não nos protegeu. E pelas meninas que deveriam ter ficado ao meu lado.

Surgiu em mim uma enorme necessidade de um dia lhes mostrar como elas foram horríveis. Só que não queria que elas fossem horríveis. Queria que elas fossem boas, amorosas e gentis. Queria que elas vissem quem eu realmente sou e me aceitassem. Queria que elas gostassem de mim e me protegessem. Queria para mim o que eu lia nos contos de fadas e em filmes com final feliz.

Queria algo que sabia que deveria ser possível. Só não era possível para mim, e não por culpa dos outros, mas por culpa minha. E eu tinha medo de nunca conseguir fugir de ser quem eu era. O denominador comum de toda a dor era que eu estava no centro de tudo.

O maior inferno que um ser humano pode viver aqui na terra não é o sofrimento, é sentir que o sofrimento não tem utilidade alguma e nunca vai diminuir.

Nunca mais me senti segura no pátio do recreio depois daquilo, porém, não culpei a professora. Ela era uma excelente pessoa. Mas os alunos faziam coisas que ela nunca chegava a ver e as regras eram diferentes no pátio. Em vez de ser bonzinhos e não brigar, era lutar ou morrer. Os alunos que ofendiam, brigavam ou machucavam os colegas recebiam a proteção do grupo popular. Parecia que eles saíam ilesos de tudo. Eles eram os populares, os fortes, os que mandavam. Ninguém pedia desculpas. E o único jeito de conseguir qualquer tipo de justiça era encontrar uma maneira de se vingar sem ser pego.

No fim, todos nós nos transformamos no que mais temíamos. Crianças más. Mesmo se você quisesse continuar sendo uma criança boa, bastava alguns dias sendo um alvo para se transformar, por uma questão de sobrevivência, em uma réplica das crianças das quais você menos gostava.

Decidi não contar para minha mãe. Ser uma dedo-duro era pior do que ser impopular.

Parecia mais seguro ser uma menina má do que ser vulnerável e corajosa. Não era uma opção ser boazinha, o que expunha vulnerabilidades que os outros poderiam usar para me ferir mais. Ser durona, prepotente e ser uma menina má escondeu minhas vulnerabilidades dentro de um coração cada vez mais endurecido.

Acabei descobrindo um jeito de não entrar nesse jogo de maldades e não ser uma vítima dos colegas: ficar na minha e basicamente desaparecer. Engolir as palavras, calar as emoções, não delatar e evitar a proximidade. Silenciar todo e qualquer tipo de expressão.

O que me salvou naquele ano foi ter me oferecido para ajudar a professora no recreio, o que me permitiu ficar em segurança na sala de aula. Eu limpava os quadros-negros e varria o chão da sala enquanto meus colegas se arriscavam no pátio. Foi então que comecei a aprender que era reconfortante repassar na minha cabeça todas as evidências que tinha contra todas as crianças más. Dia após dia, juntava e organizava coisas que elas disseram e fizeram em detalhes. Meu plano era um dia revelar essas evidências, quando finalmente descobrisse quem era o juiz e o reparador de todas as más ações que ocorriam na escola.

Nunca encontrei o juiz.

A quinta série acabou e eu estava absolutamente convencida de que no próximo ano, quando mudasse de escola, minha vida seria melhor, mas eu estava absolutamente errada. O juiz também não estava na outra escola.

COLETANDO OS PONTOS

Pisei naquele pátio de recreio pela última vez mais de 40 anos atrás. Entretanto, às vezes, me pergunto se não o levo comigo até hoje.

Estou contando isso porque as coisas que aprendemos na infância ficam conosco. Imagino que, ao ler a minha história, você pode começar a lembrar algumas partes da sua própria história. Fragmentos de memórias como clipes de filmes antigos podem passar na sua cabeça. Algumas memórias felizes, como eu me divertindo com minha mãe. Algumas dolorosas, como meu pai nunca voltando para nos proteger. Algumas peculiares, como o motorista bêbado que entrou na nossa casa com carro e tudo. Algumas lancinantes, como minhas amigas se voltando contra mim.

Os acontecimentos da nossa vida fazem muito mais do que apenas contar uma história, pois nos ajudam a reconhecer a história que contamos a nós mesmos. Se prestarmos atenção, entremeado em nossas narrativas está um sistema de crenças que se formou já na infância.

No meu caso, esse sistema incluía várias crenças.

Uma delas é uma ideia clara do que eu acho que devo e não devo fazer. Por exemplo, até hoje faço as coisas que minha mãe me ensinou a fazer antes de dormir. Eu não compro cereais com açúcar, ainda lambo a borda dos biscoitos que estou comendo, como minha avó me mandava fazer, não roubo e não gosto de ouvir palavrões. Acredito que nem sempre é seguro expor meus sentimentos. As regras são feitas para nos manter seguros e devem ser seguidas e as pessoas que seguem as regras usufruem de muito mais segurança do que as que não seguem.

Meu sistema de crenças também afeta o que penso das pessoas. Eu acredito ser seguro me relacionar com algumas pessoas, mas muitas pessoas têm questões que eu não tenho como saber. Problemas não resolvidos e feridas não curadas levam as pessoas a dizer e fazer coisas que podem me ferir. Tento não culpá-las pelo que elas dizem ou fazem, mas tenho muita dificuldade com isso porque sou muito sensível. Eu fico profundamente magoada. E, mesmo sem querer magoar os outros, eu acabo magoando. Mesmo quando faço tudo para melhorar as coisas... às vezes, as coisas não melhoram. Alguns relacionamentos não duram muito tempo e podemos nunca chegar a saber o por quê.

Meu sistema de crenças também afeta o que penso sobre mim mesma, o que penso sobre Deus, o que penso sobre o perdão e sobre seguir em frente sem me agredir nem agredir os outros. Não dei nenhum exemplo das três últimas crenças porque acho que já falei muito sobre mim e prefiro falar essas coisas pessoalmente. Quem sabe um dia não nos encontramos e, tomando um café (bem quente, com leite de amêndoa vaporizado e adoçante, por favor), possamos pegar nosso diário e abrir nosso coração juntos. Por enquanto, é neste ponto que passo a caneta a você.

Meu orientador espiritual me encoraja a coletar os pontos, ligar os pontos e corrigir os pontos. Faremos o trabalho de ligar e corrigir os pontos mais adiante. Mas agora, neste momento, vamos começar do começo e deixar suas memórias fluírem da caneta ao papel. Vá anotando do jeito que as memórias vierem, sem se preocupar com a gramática, o estilo, a cronologia e sem parar para pensar se todos os detalhes são precisos e corretos. A ideia não é acertar tudo, mas sim colocar tudo para fora.

Há uma pessoa incrível que faço questão que você conheça. Essa pessoa é você, a pessoa única e gloriosa que você vê todo dia no espelho. A pessoa que tem experiências interessantes, peculiaridades encantadoras, mágoas autênticas, uma resiliência inspiradora, histórias familiares hilárias e reflexos absolutamente incríveis de nosso Pai celestial. Nunca me senti tão honrada em conhecer alguém. Muito prazer. Saiba que você é uma pessoa maravilhosa.

O maior inferno que um ser humano pode viver aqui na terra não é o **sofrimento.** É sentir que o sofrimento não tem **utilidade alguma** e nunca vai diminuir.

CAPÍTULO 6

LIGANDO

OS PONTOS

QUANDO ESCREVI O CAPÍTULO ANTERIOR, liguei para uma amiga e o li em voz alta para ela. Queria saber o que ela achava e ver se o texto traria à tona memórias de sua infância. E foi o que aconteceu. Ela disse: "Caramba, isso vai dar o que falar nos encontros de estudos bíblicos. Não vão ser conversas fáceis, mas serão boas conversas e necessárias".

Concordo. É difícil, mas também é bom. São as duas coisas.

Faz parte do que precisamos fazer ao pegar as partes de nossa história que surgiram no último capítulo e começar a ligar os pontos. Essa parte, que pode ser difícil e boa ao mesmo tempo, deve nos ajudar a ver que, apesar de as situações pelas quais passamos parecerem eventos isolados do passado, elas de alguma forma nos acompanham até hoje. Todas as experiências de nossa vida afetam nossas percepções. Quanto mais tempo mantemos essas percepções, mais elas se transformam nas verdades em que acreditamos, que orientam nossa vida, nossas ações e nossas decisões.

É importante começar a ligar os pontos do que aconteceu na nossa infância, adolescência e juventude, e das razões que nos levam a fazer algumas das coisas que fazemos, a dizer algumas das coisas que dizemos e a acreditar em algumas das coisas em que acreditamos atualmente. O objetivo vai muito além do autoconhecimento, na verdade, o objetivo é processar o que ainda precisa ser perdoado para realmente podermos seguir em frente sem nos agredir nem agredir os outros.

As experiências marcantes do passado continuam fazendo parte de quem somos hoje.

Minha amiga me contou que, assim que desligou o telefone, correu para escrever em seu diário. Não no caderninho de anotações, mas no diário grande, com muito espaço para escrever. Gostei muito de saber. Se o capítulo inspirou minha amiga a escrever em seu diário, quem sabe ele não vai inspirar você a escrever também?

O que eu não sabia era que Art também me ouviu ler o capítulo ao telefone para minha amiga. Ele estava se preparando para trabalhar, entrando e saindo do quarto e não parecia estar ouvindo nossa conversa.

Mas estava.

Ele veio sentar-se ao meu lado depois que desliguei o telefone. Seus olhos estavam marejados de lágrimas. "O capítulo ficou excelente, Lysa."

Minhas palavras o comoveram. Ele foi carinhoso e compreensivo, pois queria ouvir e estava disposto a falar. Art também estava ligando os pontos e, juntos, esses pontos começaram a me contar a história por trás de nossa história. Foi importante não só para nossa cura, mas também na minha jornada para perdoar o impacto dos acontecimentos. Lembre-se de que a nossa decisão de perdoar ocorre em um momento marcante de perdão como o que tive com os cartões em branco que Jim me entregou. Mas também preciso percorrer o processo de perdoar o impacto de tudo o que aconteceu e que ainda deve levar vários anos. Sem nosso processo de ligar os pontos, eu não conseguiria entender o que tinha acontecido... não "o por quê", mas "o quê". Para verbalizar o perdão, precisamos verbalizar *o que* estamos perdoando.

Cinco anos atrás, eu ficaria chocada ao ver Art sendo tão aberto. Nos anos anteriores ao período que apelidamos de "o túnel do caos", só vi Art chorar quatro vezes. Por serem tão raros, esses momentos ficaram profundamente gravados na minha memória.

Art cresceu acreditando que as emoções são absolutamente privadas e não devem ser reveladas. Disfarçar as emoções era um comportamento recompensado. E era preferível disfarçar as emoções, mesmo se para isso fosse necessário fingir. Uma criança que aprende a reprimir os sentimentos pode nunca entender os sentimentos ao crescer. Os sentimentos têm uma razão de ser, pois apontam para questões que precisam ser abordadas. Também nos ajudam a ter empatia, criar vínculos e saber quando precisamos dar e receber apoio emocional.

Não precisamos ser escravos de nossos sentimentos, porém, também não queremos ser atores interpretando roteiros e expressando as emoções só quando for necessário ou potencialmente recompensado. Se fizermos isso, nunca teremos um relacionamento verdadeiro com ninguém.

Nunca tinha ligado esses pontos. Eu nunca tinha entendido que Art e eu éramos muito bons em representar nossos papéis e fazer o que se esperava de nós, mas que não tínhamos a profundidade necessária para ter uma verdadeira intimidade emocional. Ele cresceu numa família que não expressava os sentimentos e aprendeu a guardar segredos. Já eu cresci em uma família que não só expressava todos os sentimentos, mas os declarava e os processava para todo mundo ouvir. Tínhamos nossos segredos, mas eles sempre extravasavam em momentos de explosões emocionais e discursos acalorados. Eu não conseguia entender por que ele falava tão pouco. Ele não conseguia entender por que eu falava tanto. Éramos só duas pessoas clamando por mais profundidade emocional, mas sem ter a menor ideia de como chegar lá.

O amor pertence às profundezas. Quando forçado a ficar na superfície, ele se debate como um peixe fora d'água. Um peixe não consegue viver na superfície porque não consegue respirar. Ele respira oxigênio, mas não do ar da superfície. O peixe puxa a água pelas guelras, que dissolve o oxigênio da água e o distribui ao corpo. Se o peixe não ficar abaixo da superfície, ele não terá um elemento que lhe permite viver. O amor é um pouco assim.

O amor precisa de profundidade para viver, precisa de sinceridade para crescer e precisa de confiança para sobreviver.

Quando é privado de profundidade, ele se debate. Quando não recebe sinceridade, ele mingua. Quando a confiança é quebrada, o amor fica paralisado. Art e eu passamos por tudo isso. Mas, por incrível que pareça, os anos que meu amor passou se debatendo foram os mais confusos para mim. Foram os anos em que questionei minha sanidade mental repetidas vezes.

Foram os anos em que as coisas certas me foram ditas, mas soavam estranhamente vazias de sentimentos. As palavras de amor devem pousar no coração como penas esvoaçantes, mas depois devem nos robustecer à medida que a verdade do amor se instala. Mas quando as palavras desabam como pedras você fica se perguntando: *Será que é verdade? Será que você está sendo sincero?*

Com o tempo, essa confusão me levou a pensar: *Será que estou louca? Você é louco? Eu devia me sentir amada e segura com o que você está dizendo? Mas o que estou sentindo é mais parecido com medo. Um medo estranho e sufocante, como o medo que se sente ao chegar perto demais da beira de um penhasco aterrorizante. Por quê?*

Dizem que as pessoas se apaixonam. Acho que o mais correto seria dizer algo como: "Encontramos juntos o amor e o escolhemos juntos vez após vez". É muito melhor do que o caos da paixão.

Para mim, nosso amor era confuso. Mas a atuação dele era tão convincente que eu realmente achava que o problema era só meu.

Considerando a infância que tive, nunca imaginei que pudesse haver algo de errado com Art. Afinal, eu é que fui abusada, abandonada e vítima de bullying. Eu realmente achava que eu era a única causa dos nossos problemas. Eu não tinha como resolver uma questão que não conseguia identificar. Eu não tinha ligado os pontos e visto que Art também estava clamando por mais. Apenas pensava que ele tinha crescido em uma família que não falava muito. E que não falar significa ser perfeito, já que as pessoas não saem gritando umas com as outras. Como Art não gritava, eu achava que ele estava bem. Nunca liguei os pontos e nunca percebi que as pessoas que não se expressam podem estar sofrendo muito. É que seus gritos são silenciosos. Ou, elas estão se expressando em segredo. Como nunca disfarcei minha dor, era mais fácil assumir a culpa pelos problemas do que tentar questionar coisas que não entendia.

Já aconteceu de o detector de fumaça da sua casa apitar avisando que as pilhas estão acabando? Sem saber como trocar as pilhas, às vezes, é mais fácil desligar o aparelho só para se livrar do alarme irritante. Acho que foi isso que fiz. Eu simplesmente presumi que todos os problemas eram meus para a confusão parecer menos alarmante. Mal sabia eu que, ao fazer isso, deixaria de receber os alertas do incêndio destrutivo que estava por vir. Eu, basicamente, me traí muito antes da traição de Art.

Lembro de querer acessar o que havia abaixo da superfície da mulher confiante e resolvida que eu parecia ser. Eu queria mais. Mesmo sem saber o que vinha a ser esse "mais".

Se alguém me perguntasse na época, eu me atrapalharia com a resposta. Eu poderia ter dito mais emoção, mas não era bem isso. Eu poderia ter dito uma conexão emocional mais forte, mas também não era isso. E, por não saber definir, só teria dito: "Tudo bem, eu sou feliz, vamos mudar de assunto". E eu chorava na cama à noite ouvindo a respiração de Art adormecido ao meu lado. Fico pensando em quantas horas insones eu não passei orando por algo que nem sabia dizer o que era.

Agora sei qual era o "mais" que estava faltando. Agora eu sei, porque agora eu tenho.

Vulnerabilidade.

Precisamos ser vulneráveis para encarar as realidades da vida e ligar alguns dos pontos dos quais estamos falando. E o autoconhecimento aumenta nossa vulnerabilidade. Fica mais difícil fingir para o mundo quando não temos mais como fingir para nós mesmos. E, mesmo se não ligarmos nem corrigirmos muitos pontos a mais nestes capítulos, pode ter certeza de que vai ter valido a pena.

Quem finge nunca se dá conta de que precisa desesperadamente ser perdoado. Para essas pessoas, perdoar sempre será mais um item de sua lista de afazeres do que um processo de libertação do qual elas podem participar. No meu caso, tive de ligar os pontos de que eu e Art precisávamos de uma graça, nós dois precisávamos de cura e nós dois precisávamos de perdão.

E, apesar de ter sido terrivelmente doloroso aprender esse tipo de vulnerabilidade, foi a parte mais estimulante da nossa cura. Não é estranho que, às vezes, é justamente o que mais tememos que acaba abrindo um caminho para a liberdade?

Fomos desnudados para o mundo inteiro ver. E, apesar da verdade horrenda que se revelou, pela primeira vez em muito tempo nós dois fomos forçados a mergulhar abaixo da superfície, onde nosso amor encontrou oxigênio.

O mundo define a vulnerabilidade como expor-se de forma a correr o risco de sair ferido ou magoado.

Acho triste pensar assim. Eu entendo. Afinal, posso dizer que passei por isso. Mas a vulnerabilidade também tem um outro lado, um lado belo. Em vez de "me expor ao risco de sair ferida", a vulnerabilidade também significou "me abrir para conhecer e amar as pessoas e ao mesmo tempo deixar que elas me conheçam e me amem".

E se pudesse fazer isso sem ter medo de ser rejeitada porque já me convenci que sou aceita e aceitável?

Foi aí que liguei mais alguns pontos. Art preferia guardar segredos porque não se sentia aceitável e eu vivia forçando um diálogo que ele não sabia como manter porque estava desesperada para ouvir palavras que nunca ouvi de outros homens. Queria saber que era aceita. Nós dois queríamos nos sentir aceitos e aceitáveis, mas cada um buscou isso de uma maneira diferente, o que acabou nos distanciando em vez de nos unir.

O segredo de uma vulnerabilidade saudável não começa me sentindo segura com Art. É verdade que é importante sentir segurança. Mas esse sentimento não deve depender dos outros. Era muito mais importante que eu me sentisse segura comigo mesma e que Art se sentisse seguro consigo mesmo. Foi só quando realmente passei a me ver como uma pessoa digna de respeito é que pude ficar vulnerável diante de Art sem medo e sem os muros do fingimento. Nem as cortinas que só eram abertas quando subíamos no palco para nos apresentar como atores. Sem as pequenas mentiras que contávamos para encobrir coisas que não suportávamos que fossem reveladas... sem criticar as fragilidades um do outro.

Art teve de acreditar que ele era aceitável. Eu tive de acreditar que era aceita.

Não era em nosso relacionamento que encontraríamos esses sentimentos. Eram verdades que deveriam ser colocadas em prática porque Deus nos ajudou a acreditar nelas. Em momentos de vulnerabilidade, poderíamos simplesmente lembrar o outro do que já sabíamos ser verdade.

Assim, a sinceridade poderia ser extravasada sem o outro precisar entrar em cena para limpar tudo, ou sem interpretar as emoções do outro como um ataque. Atualmente, nossas conversas são mais na linha de: "Pode dizer o que você precisa dizer. Estou ouvindo. Você está seguro. Verei quem você realmente é, da maneira como Deus o criou. Juntos, lutaremos contra a vergonha que ameaça invadir sua mente. Não vou aumentar sua vergonha. Falarei a verdade, mas sempre para ajudá-lo e nos ajudar a nos manter saudáveis. Não vou reduzi-lo à soma de suas dificuldades. Direi palavras de apoio e não o deixarei esquecer de quem você realmente é em Cristo".

O segredo é nos ajudar a lembrar de quem realmente somos. Mas não podemos consertar o outro nem controlá-lo.

Não podemos manter o outro saudável, mas podemos nos apoiar e incentivar, podemos ser vulneráveis e também orar e combater o inimigo. Podemos levar todas as preocupações ao Senhor e nos ajudar a lidar com nossas preocupações, contudo, não devemos permitir a entrada da força destrutiva da vergonha em qualquer parte de nosso relacionamento. Devemos retornar ao que Deus sempre quis para os relacionamentos.

Um dos meus versículos favoritos da Bíblia é: "*O homem e sua mulher viviam nus, e não sentiam vergonha*" (Gênesis 2:25). Eles eram vulneráveis... sem correr o risco de serem expostos, mas muito abertos a ser amados. Eles não tinham vergonha de quem eram e também não tinham vergonha um do outro. Nada do que eles faziam era motivado pela vergonha. Sempre dizia que isso acontecia porque *"eles não tinham outras opiniões para contestar, exceto o amor absoluto de Deus"*.[4] É verdade.

Mas passei a ver outras maneiras de interpretar esse versículo.

Adão e Eva sabiam que foram feitos por Deus, que eram total e maravilhosamente especiais, apesar de os ingredientes usados por Deus para criá-los terem sido aparentemente humildes e básicos. Pó e um osso retirado não parecem um começo muito promissor. Esses ingredientes parecem desprovidos de qualquer potencial. Quando pensamos em pó, é comum pensarmos no que ficou para trás depois que algo se quebrou ou que precisa ser limpo depois de muita negligência. E uma costela não passa de mais uma entre as 24 costelas semelhantes, escondida sob a carne e só vista quando a vida deixa de existir e a decomposição faz seu trabalho.

Sem a interferência de Deus, esses ingredientes de nada valeriam. Insignificantes. Inaceitáveis.

Mas, escolhidos por Deus e com o sopro e o toque de Deus, eles se tornaram a única parte da criação feita à imagem de Deus. O nada que eles um dia foram foi transformado em algo glorioso.

Eles foram feitos para ser um reflexo da imagem de Deus. *Criou Deus o homem à sua imagem, à imagem de Deus o criou; homem e mulher os criou (Gênesis 1:27)*. Esses reflexos da imagem tornaram visível uma imagem de Deus, invisível.

O que os tornou gloriosos não foi o fato de eles terem nascido do pó e do osso, mas o fato de eles terem sido criados por Deus. Eles reconheciam que foram criados à imagem de Deus. Nunca vi evidências de que eles estavam insatisfeitos com a maneira como foram criados antes da queda.

Os dois estavam nus e não tinham qualquer vergonha.

Quando me dei conta disso, lágrimas pingaram como gotas de chuva em meu diário. As palavras que eu tinha escrito começaram a virar borrões líquidos. Comecei a ligar os pontos de como Art precisa, desesperadamente, me ouvir dizer essas palavras vivificantes sobre ele, lembrando-o repetidamente de que ele é mais do que pó. Ele é mais do que aquilo que fez. Ele é muito mais do que os erros que cometeu. Ele é o sopro de Deus. Ele é absolutamente aceitável. E, quando o vejo assim, sua verdadeira identidade vem à tona. Isso não elimina as questões nas quais nós dois ainda precisamos trabalhar. Mas não nos baseamos mais na vergonha e sim na esperança que temos em Cristo. É verdade que Art teve um caso, mas essa não é sua verdadeira identidade. Ele é um filho de Deus a quem posso perdoar.

Deixei essa nova perspectiva criar raízes em mim e amolecer meu coração. Minha caneta continuou escrevendo minhas lágrimas continuaram caindo e meu coração continuou se enternecendo. Foi muito revelador ter ligado esses pontos. Percebi que não estava chorando só por estar ligando os pontos, mas também pelo sentimento de pesar associado a essas revelações.

A palavra *pesar* continuava surgindo no que eu estava registrando no diário. Estava perdoando, mas também estava pesarosa por toda a mágoa. Eu ainda estava pesarosa pelos erros ainda não corrigidos. Eu ainda estava pesarosa por todas as escolhas com as quais não concordei. O pesar costuma ser um longo processo que acompanha o perdão. Ainda vamos falar sobre o papel da perda, mas antes gostaria de lhe mostrar outros pontos que liguei.

Desde quando eu era muito pequena, já me indignava com a injustiça da perda e quando as ações das pessoas nos causam um profundo sofrimento. Eu nunca imaginei como isso se transformou no medo enorme de as pessoas se aproveitarem de mim. Eu não sabia como mudar meu ponto de vista sobre isso. Mas, lendo Gênesis, tive outra nova revelação.

Antes de criar a mulher, Deus disse que não era bom para o homem ficar sozinho. Sempre achei que Ele disse isso porque Adão tinha algo faltando. Mas, ao reler com atenção o livro de Gênesis, percebi que Deus não criou Adão incompleto. Afinal, quando Deus fez Adão adormecer, Ele não refez, consertou, acrescentou ou renovou o homem. O que Ele fez foi tirar. Apesar de ter tirado um osso de Adão, Deus lhe deu algo muito melhor. Qualquer sacrifício colocado nas mãos de Deus, Deus pode transformar em bem.

E isso pode explicar por que a vulnerabilidade é tão complicada. Se arriscamos nos abrir, corremos o risco de a pessoa nos magoar. Corremos o risco de a pessoa nos tirar algo. Tememos essa dor porque, ao contrário de Adão e Eva, já a sentimos na pele. Para evitar a dor, nos contemos, nos amarguramos e nos ofendemos cada vez mais, e nos abrimos cada vez menos à vulnerabilidade.

Eu sei bem disso.

Sei como descrever isso porque tendo a pensar assim.

Como disse, acho extremamente ofensivo quando alguma coisa é tirada de mim. E não é nada natural para mim querer ficar bem com algumas coisas que perdi. Eu ainda choro com o caso que meu marido teve. Ainda me dói muito a morte prematura de minha irmãzinha Haley, ainda sinto falta de amigos que não fazem mais parte da nossa vida e ainda tenho esperança de que um dia meu pai voltará para casa.

Outras coisas que me foram tiradas são bem mais fáceis de processar. Dinheiro roubado, comentários insensíveis ou outras coisas que me foram tiradas têm muito menos importância do que a perda de pessoas que amei. É uma dor diferente, mas mesmo assim, pode me fazer evitar o risco de me tirarem alguma coisa de novo.

Mas e se, em vez de temer o que pode ser tirado de nós, decidirmos que tudo o que perdemos nos torna mais completos, não menos? Não pelos princípios da economia global. Neste mundo, a perda nos causa pesar, como deveria. Mas a história não termina por aqui.

Enquanto sofremos por uma perda, nos conscientizamos cada vez mais de uma perspectiva eterna. O pesar da perda é como um luto e envolve um profundo trabalho e um longo processo dos quais, muitas vezes, sentimos que não sobreviveremos. Mas sempre sobrevivemos. Por viver deste lado da eternidade, podemos achar que o bem que Deus nos deu não vale o que perdemos, mas não perdemos a esperança nem a confiança em Deus.

Todas as perdas que colocamos nas mãos de Deus não serão perdas para sempre.

Martinho Lutero disse: "Segurei muitas coisas em minhas mãos e perdi todas; mas todas que coloquei nas mãos de Deus, essas eu ainda possuo".[5]

Deus tirou o osso de Adão e lhe deu a dádiva de uma mulher. Nem tudo o que foi tirado de nós foi pela mão de Deus, mas quando coloco cada perda em Suas mãos, ela pode ser redimida. *"Digo verdadeiramente que, se o grão de trigo não cair na terra e não morrer, continuará ele só. Mas, se morrer, dará muito fruto"* (João 12:24).

A perda nunca é o fim da história. Essa verdade ficou bem clara no caso da minha amiga Colette, que tentava processar seu passado e procurava ligar os pontos. Ela notou que tinha pavor do amanhecer e do entardecer. A maioria de nós considera o nascer e o pôr do sol uma fonte de inspiração, mas não Colette. Ela nunca quis assistir o nascer do sol ou vivenciar o glorioso fim de um dia fazendo uma caminhada ao pôr do sol. Sua família sabia disso, mas ninguém sabia por quê.

Na verdade, a família se entristecia por ela se recusar a apreciar o amanhecer e o entardecer com eles.

Ao escrever sua história, ela foi coletando e ligando pontos que a ajudaram a entender que, na infância, de manhã e à noite, ela se sentia ameaçada e temerosa em virtudes das circunstâncias que ela não tinha como controlar. O sistema de crenças que se formou em sua infância dizia que esses dois momentos do dia deviam ser evitados, não desfrutados.

Ela passou décadas evitando o nascer e o pôr do sol, mesmo tendo passado mais de 30 anos sem jamais ter sido ameaçada nessas horas do dia. As circunstâncias de sua vida mudaram drasticamente. Mas, sem perceber, ela nunca mudou suas crenças em relação ao nascer e ao pôr do sol. Ao ligar esses pontos, ela percebeu que precisava mudar suas crenças sobre essas horas do dia.

Na semana em que conversamos sobre isso, ela afirmou nunca ter visto o céu exibir cores tão gloriosas.

Como estava de viagem em outro estado, ela achou que o fato de estar em uma região diferente explicava as magníficas cores do céu.

Mas uma amiga que morava na mesma cidade que ela garantiu que o céu também era lindo lá. Quando Colette corrigiu os pontos de sua história, ela voltou a ver a beleza do céu. Glória e esplendor se expandiram em uma explosão de cores flamejantes diante dela e ela teve olhos para ver. Ela finalmente viu! Acredito que ela nunca mais deixará de ver.

Não porque seu passado mudou, mas porque as possibilidades mudaram para ela. As manhãs deixaram de ser lúgubres e o céu dando lugar à escuridão deixou de ser tão terrível. Atualmente, ela se permite desfrutar das demonstrações de glória, esplendor e beleza que se manifestam no céu. A escolha é dela. A escolha é minha. A escolha é sua.

Enquanto estou aqui refletindo, ligando meus pontos e pensando sobre Art e Colette, percebo que a realidade de cada pessoa é muito mais profunda do que imaginamos. Mágoas e perdas do passado criaram crenças equivocadas e tendências não saudáveis que impedem nosso progresso no presente. Colette perdeu anos sem ser capaz de desfrutar o nascer e o pôr do sol e sem poder viver essa experiência com sua família. Art e eu perdemos anos incapazes de ter conversas difíceis sem nos sentir pessoalmente atacados pelas emoções um do outro. Também perdemos a intimidade que isso teria possibilitado. É verdade que parte de quem somos resulta das perdas que tivemos na vida. Mas nem tudo precisa ser negativo. A perda também pode nos ajudar de maneiras maravilhosas, se permitirmos.

Se nos conscientizarmos das maneiras como processamos nossos pensamentos e percepções e os redirecionarmos de maneiras mais vivificantes, cada perda ajudará a formar uma pessoa mais sábia, empática, compreensiva, justa, compassiva, forte e humilde.

Pensando assim, repasso minha história e convoco essa pessoa que sei que vive dentro de mim. Desde a infância, desenvolvi crenças sobre a vida, sobre mim mesma, sobre os outros, sobre Deus e sobre o perdão. Essas crenças criaram as raízes mais profundas em mim quando fui magoada na infância. E até hoje meus pensamentos e experiências passam pelo crivo das minhas crenças.

Chegou a hora de rever os meus conceitos. Não quero passar o resto da minha existência usando as crenças formadas nos períodos mais dolorosos ou traumáticos da minha vida para processar todas as dificuldades. O trabalho é demorado e não deve ser feito às pressas, mas não podemos ter medo de dar início ao processo de cura. A cura começa ligando os pontos e fazendo conexões.

Veja a seguir algumas sugestões para levar em consideração ao ligar os pontos de sua história:

- Você evita determinados momentos do dia ou estações do ano que acha que deveria desfrutar? Por exemplo, no meu caso, o outono sempre foi uma época do ano especial para mim. Atualmente, não consigo deixar de sentir uma certa trepidação quando vejo o outono chegando, porque foi nessa estação do ano que sofri um grande trauma no meu casamento com Art. Quando liguei esses pontos, passei a me esforçar deliberadamente para resgatar o prazer que eu tinha nessa estação do ano. Resgatar é muito mais empoderador do que evitar.
- Você evita alguns lugares que deveria desfrutar?
- Você evita ou fica especialmente ansioso perto de algumas pessoas?
- Algumas palavras ou frases provocam uma reação emocional mais intensa do que deveriam?
- Acontece de você querer evitar uma conversa quando as pessoas começam a relembrar alguns eventos específicos?

Ao pensar em quem, o quê, quando e onde, não deixe de procurar o porquê. Preste atenção às reações do seu corpo, como aumento da frequência cardíaca, ansiedade, expressão de desagrado, tensão ou resistência.

Não temos como mudar os acontecimentos, mas podemos escolher como somos mudados por eles.

Prometo que vai valer a pena. O fato de Art e eu termos conseguido chegar tão longe é um milagre de Deus. Nós dois ainda temos muito trabalho a fazer, mas já progredimos muito.

Atualmente, temos vulnerabilidade, não fingimos ser outra pessoa e não temos mais segredos. E, se eu chorar no meio da noite, ele acorda. Literalmente.

Nunca tivemos essa segurança antes, essa emoção, essas lágrimas, essa abertura e essa liberdade de descobrir o que temos de mais profundo sem temer ser rotulados ou afastar o outro. Nós simplesmente expomos o que temos de mais humano um ao outro, sabendo que o outro também está ciente das próprias fragilidades.

Somos livres para simplesmente viver um com o outro sem a pressão de precisarmos consertar um ao outro. Não evitamos os problemas, mas não cabe a mim consertar os problemas de Art, assim como, não cabe a Art consertar os meus. Trabalhamos nossos problemas em terapia, cada um com seu orientador espiritual, e controlamos nossas frustrações orando a Deus. Nem tudo é perfeito, na verdade, às vezes, é bem conturbado... mas é bom. E isso nos deixa livres para viver e amar juntos.

Vamos voltar à história do início deste capítulo. Naquele dia, Art falou abertamente sobre os pontos de sua vida que ele estava ligando quando soube dos pontos da minha vida que eu tinha ligado. Vi aquele homem com lágrimas nos olhos por causa de algo que eu escrevi. Uma parte de mim tocou seu coração e o motivou a falar abertamente comigo.

Como esse homem, que me destruiu em níveis tão profundos, aprendeu a me amar de maneiras tão belas? É um mistério. Da mesma forma como grande parte da minha história foi um mistério, com Deus, por vezes, tocando meu coração e, por vezes, sem eu saber onde Ele estava e sem conseguir ver evidências do que Ele estava fazendo. Mas, talvez, essa seja a parte que chamamos de fé. Minha confiança aumenta quando vejo a obra de Deus com meus olhos humanos, mas o que fortalece minha fé é quando não consigo ver ou entender o que Ele faz. Escolho depositar minha confiança em quem Ele é e declarar Sua bondade em meio a todas as incógnitas.

Meu pai nunca voltou para casa, para nossa família, e quase 30 anos se passaram desde a última vez que ouvi sua voz. Eu o perdoei e disse que o amava, mas ele ainda não ligou.

Um homem voltou.

Outro homem nunca voltou.

Mesmo assim, a redenção de Deus está presente em tudo. É um mistério doloroso e belo, tudo ao mesmo tempo.

Não temos como mudar os **acontecimentos,** *mas podemos escolher como somos* **mudados** *por eles...*

CAPÍTULO 7

CORRIGINDO

OS PONTOS

SE EU E VOCÊ ESTIVÉSSEMOS JUNTOS à mesa cinza hoje, explicaria por que não basta coletar e ligar os pontos. Agora precisamos trabalhar para corrigir os pontos ou, em outras palavras, encontrar as percepções e crenças que formamos com base em tudo o que passamos para que elas sejam vivificantes, não tóxicas. As percepções e crenças que formamos, certas ou erradas, nos afetam mais do que imaginamos.

Você já conheceu alguém que leva tudo para o lado pessoal? Essas pessoas veem tudo o que os outros dizem pelas lentes de dores não resolvidas e feridas não curadas resultantes de experiências do passado.

Elas nunca se esquecem das coisas que os outros dizem. Estão sempre coletando argumentos para confirmar suas percepções. Elas não hesitam em atribuir motivações erradas e interpretações negativas a tudo o que os outros fazem ou dizem a elas.

Elas acreditam do fundo do coração em coisas como: *Eles não gostam de mim. Eles acham que sou burro. Eles não me querem no time deles. Eles querem me derrubar. Eles me acham agressivo, gordo, inexpressivo, pessimista, teimoso ou autoritário. Eles acham que não sou bom o suficiente.* Elas usam essas e incontáveis outras afirmações para transformar tudo o que os outros dizem e fazem em um ataque pessoal.

É cansativo se relacionar com alguém que leva tudo para o lado pessoal. Pode chegar ao ponto de o relacionamento ser insalubre e até tóxico. Os outros acabam se cansando de ser mal interpretadas e se afastam.

Aquele que interpreta tudo o que os outros fazem e dizem como um ataque pessoal projeta sua dor em todas as pessoas ao seu redor. Ele nunca ligou os pontos para descobrir qual é a pessoa de seu passado que realmente precisa ser perdoada.

É mais fácil ver nos outros os pontos que precisam ser corrigidos. É um pouco mais difícil ver isso em nós mesmos. Foi por isso que escrevi este capítulo. Para podermos identificar nossas partes tóxicas.

Este capítulo será como levar um canário em uma gaiola para as profundezas de uma mina e explorar o que temos de mais profundo em nosso coração. Na Inglaterra, os mineiros de carvão passaram décadas usando um canário em uma gaiola como um detector de dióxido de carbono e outros gases letais. Os mineiros usavam o canário para identificar algo que eles não eram capazes de detectar com seus sentidos humanos. Se o canário ficasse doente ou apático, os mineiros sabiam que havia algo de errado na mina. Eles precisavam agir sem demora, afastando-se do elemento tóxico.[6]

O canário funcionava como um alarme para os mineiros. Espero que este capítulo nos ajude não só a identificar algumas percepções e crenças não saudáveis que nos impedem de perdoar e encontrar o caminho da cura como também nos ajude a interpretar melhor o que vemos diante de nós.

Se os mineiros não ouvissem o alerta do canário, ou passassem tempo demais sem verificar o pássaro, eles podiam deixar passar uma informação vital. Eles não tinham como interpretar corretamente a situação. E as consequências podiam ser terríveis.

Podemos acreditar em coisas terríveis sobre nós mesmos, os outros, o mundo e até Deus se não identificarmos pensamentos tão danosos à nossa saúde emocional que, na melhor das hipóteses, vão nos paralisar ou até nos impedir de avançar de maneiras íntegras e saudáveis.

Pessoas íntegras e saudáveis são capazes de dar e receber amor. Dar e receber perdão. Dar e receber esperança. Dar e receber um *feedback* construtivo. Dar e receber lições de vida contidas nas situações mais difíceis da vida.

Precisamos chegar a um ponto onde a dor que sentimos seja um portal para nos levar a crescer, aprender, descobrir e, com o tempo, ajudar os outros. Mas, se eu insistir em me agarrar a essa dor, ela será uma barreira que me impede de superar ou passar pela situação. É como dar de cara com a parede repetidas vezes sem entender por que minha dor só aumenta.

O perdão é muito mais fácil quando tenho um sistema mais saudável para processar meus pensamentos, sentimentos, percepções e crenças sobre as circunstâncias, sobre as pessoas, sobre mim mesma e sobre Deus. Mas, quando alguém nos magoa profundamente, só conseguimos ver o óbvio nos acontecimentos. É fácil presumir que coisas ruins são causadas por pessoas ruins, levando a realidades ruins que jamais virão a ser boas realidades. É uma simplificação enorme, mas sou uma prova de que é possível passar anos preso nessa armadilha.

As experiências que tenho afetam as percepções que formo e as percepções que formo acabam se tornando as crenças que levo em minha vida e as crenças que levo em minha vida determinam o que vejo. Meus olhos só conseguem ver o que realmente está lá… a menos que as percepções que embasam minha visão mudem o que acredito ver.

Por exemplo, se vir uma bola de poeira levada pelo vento no chão de sua cozinha e nunca tiver visto algo meio peludo deslizando pelo chão, você pode dizer: "Ah, uma bola de poeira. Está na hora de varrer a casa". Mas, se um dia pelo canto do olho você vir um rato correndo pelo chão e ficar horrorizado, da próxima vez que vir uma bola de poeira pelo canto do olho, não vai achar que é só sujeira. Você vai sair gritando, chamando alguém para ajudar e subir em uma cadeira em pânico só por causa de uma bola de poeira.

Eu mesma posso ou não saber disso. E, mesmo sem ter uma justificativa racional, quando vejo uma sopa de legumes orgânicos, sempre acho que os temperos são insetos. Um dia tomei uma sopa de brócolis com saborosos temperos. Depois de me fartar, meus filhos caíram na risada. Aqueles pontinhos pretos não eram temperos. Meus filhos enxergavam melhor do que eu. E, quando eles tiraram uma foto de um "tempero" e ampliaram a imagem, vi as pernas e antenas e soltei um grito. Fui dormir com a barriga cheia de insetos. Ninguém merece!

Com base em nossas experiências, quando vemos algo nosso cérebro preenche as lacunas e cria detalhes sem nos darmos conta. No caso do mundo físico, não é só o que vemos, mas o que percebemos que estamos vendo que define nossa realidade. E isso se aplica não só às nossas percepções físicas como também às nossas percepções emocionais.

Eu explico. Nos nossos relacionamentos, temos experiências boas e ruins, desenvolvemos percepções sobre o mundo, e sobre as pessoas e essas percepções afetam o que vemos ao longo da vida. Essas percepções interpretam e preenchem as lacunas e nossa realidade é formada com base nas crenças resultantes.

Imagino que você pode estar passando pelo que aconteceu comigo. Enquanto você coletava alguns pontos de sua história e ligava os pontos nos dois últimos capítulos, algumas percepções começaram a mudar. Você deve estar tendo uma visão diferente de algumas coisas e se perguntando o que fazer com tudo isso. Você pode estar começando a perceber que algumas percepções levaram a interpretações equivocadas, prejudicando alguns relacionamentos. Você pode ter detectado um elemento tóxico, sendo assim, este é o momento de darmos um dos passos mais importantes de todos: corrigir os pontos.

Leva tempo processar tudo isso, muito tempo. No meu caso, o segredo envolveu três fatores: dor, aceitação e perspectiva.

A dor foi expressar tudo o que aconteceu e como me senti. Foi o que fiz ao coletar os pontos.

A aceitação foi reconhecer que os acontecimentos estão gravados nas páginas da minha história e não tenho como mudar o que aconteceu. Foi o que fiz ao ligar os pontos.

Com isso, comecei a ver novas perspectivas, o que me ajudou a corrigir alguns dos pontos. Novas páginas ainda serão escritas na história da minha vida, e minhas percepções decidirão a maneira como levo meu passado para meu futuro. Também neste caso, não tenho como mudar o que aconteceu, mas posso escolher no que acreditar e como os acontecimentos me mudarão para melhor ou para pior.

Foi crucial ter sido capaz de reconhecer a dor profunda em todas as suas formas, com todos os exemplos específicos que eu estava lembrando. Eu tive de dar nome às diferentes formas de dor que estava sentindo. Identificar a pessoa que causou a dor. Contar a história do que aconteceu, ou como a dor foi infligida. Tive de refletir sobre a história que atualmente conto a mim mesma, respondendo a várias perguntas:

- O que passei a acreditar sobre a pessoa que me magoou ou as pessoas com quem tenho um relacionamento parecido?

- O que passei a acreditar sobre mim mesma?
- O que passei a acreditar sobre as pessoas que viram o que aconteceu ou ficaram sabendo do que aconteceu?
- O que passei a acreditar sobre o mundo como um todo?
- E o que passei a acreditar sobre Deus em consequência dessa experiência?

Foi importante para mim reconsiderar as percepções de minhas vivências e do que passei a acreditar ser a verdade sobre todos os envolvidos. E fazer essas perguntas sobre as minhas crenças me ajudou a identificar o que precisava ser corrigido para, no futuro, eu poder ter interpretações mais saudáveis sobre o que vejo.

Quando não passamos por esse processo e tudo o que podemos ver é uma realidade sombria, fica difícil abrir mão de nossas crenças e seguir em frente. É impossível viver sem colecionar *souvenirs* emocionais. Levamos conosco perspectivas saudáveis ou uma coletânea de evidências sobre nosso passado, evidências do que aconteceu conosco e das injustiças que nos foram cometidas. Se não forem processadas, essas evidências que coletamos acabam se transformando em rancores e ressentimentos que nos oprimem e distorcem nossas perspectivas. Ao optar por corrigir os pontos, a ideia não é mudar nosso passado, mas rever nossos *souvenirs* para decidir quais descartar e quais manter, ou seja, separar evidências inúteis de perspectivas mais saudáveis.

Não tivemos controle sobre muitas das injustiças que nos foram cometidas, ainda assim, temos controle sobre o direcionamento que daremos à nossa vida.

Veja um exemplo de como fiz isso. Pensei nas pessoas envolvidas em cada uma das histórias da minha vida e procurei identificar o *souvenir* que guardei delas. Concentrei-me na minha reação física e emocional ao pensar no nome de cada pessoa. Tentei responder a perguntas como:

- Estou tensa? Revirando os olhos? Meu coração acelerou? Estou cerrando os dentes? Dei um suspiro?
- Eu acho injusto que coisas boas estejam acontecendo com ela?
- Eu fico feliz por dentro quando fico sabendo que ela está tendo dificuldades, pensando coisas como: *a justiça finalmente foi feita?*
- Eu fico sonhando acordada com o momento em que apresentarei todas as evidências para ela, finalmente, admitir que o que fez foi errado?
- Quando converso sobre essa história, eu tento convencer os outros de que fui injustiçado, esperando que eles fiquem do meu lado e contra meu ofensor?
- Se a pessoa ainda faz parte da minha vida, eu sempre espero o pior dela?
- Eu fico ofendida, impaciente, irritada e estressada com essa pessoa ou pessoas que me lembram delas?

OU

- Eu reconheço as dificuldades com a pessoa, mas tenho um senso de tranquilidade e paz?
- Eu consigo orar com sinceridade por ela quando sei que está enfrentando dificuldade?
- Eu consigo administrar minhas emoções quando coisas boas acontecem com ela?
- Eu me ofereço para ajudar pessoas que estão enfrentando uma situação parecida?
- Eu consigo ver o lado bom das pessoas?
- Eu procuro e coleciono lições de vida em vez de rancores?

- Qual mágoa a pessoa que me ofendeu pode ter sofrido para levá-la a fazer o que fez? Sou capaz de ter compaixão pelo sofrimento de quem me magoou?
- Consigo ser bondosa com a pessoa que foi cruel comigo, mesmo se tiver de estabelecer alguns limites?

Acho que as perguntas mais importantes foram as que me ajudaram a repensar minha história e começar a vê-la de um ponto de vista diferente:

- De que outra maneira eu posso ver o que aconteceu?
- Tenho alguma lição a aprender com essa história?
- Quais seriam as vantagens de eu perdoar e parar de ficar ruminando as minhas mágoas?
- Quais das minhas qualidades positivas poderiam surgir se eu optasse por seguir em frente sem guardar rancor?

Feito isso, processei meu sofrimento com base no fato de que Deus tem um propósito para todos os nossos sofrimentos. Como Romanos 5:3–5 nos lembra: "*Sabemos que a tribulação produz perseverança; a perseverança, um caráter aprovado; e o caráter aprovado, esperança. E a esperança não nos decepciona, porque Deus derramou seu amor em nossos corações, por meio do Espírito Santo que ele nos concedeu*".

Pensando nisso, respondi às seguintes perguntas:

- O que uma versão mais saudável de mim teria condições de fazer a partir de agora?
- Como essa mágoa pode fazer de mim uma pessoa melhor, e não pior?
- O que Deus pode estar me dando ou revelando por meio desse acontecimento que eu não poderia ter recebido antes?

Minhas respostas a muitas dessas perguntas estavam longe de ser claras ou estruturadas. Meus diários não eram lineares como planilhas, nem incontestáveis como fotografias. Eram mais como uma espécie de arte abstrata feita de palavras que só faziam sentido para mim. Mas isso não importa. O que importa é que as perguntas me ajudaram a ter uma visão mais precisa de mim mesma e corrigir minhas perspectivas, enquanto buscava seguir em frente com a minha vida. E você também pode fazer isso.

Pode não acontecer tudo de uma vez em uma única sessão de investigação. Essas revelações podem vir com o tempo e de maneiras inesperadas, como quando alguém estiver dando um testemunho ou quando você estiver ouvindo um sermão, escutando uma música ou até lendo este livro. Sempre que você se sentir inspirado a anotar o que está aprendendo, deixe as palavras fluírem e não se feche ao que surgir e fique de olho no canário nas profundezas de sua mina de carvão, alertando que você está culpando os outros ou ruminando as circunstâncias de sua dor.

Por exemplo, enquanto fazia esse exercício, percebi que tendia a me apegar mais aos fatos que me magoaram do que às novas perspectivas que estava aprendendo. Quando sentimentos e pensamentos não saudáveis surgiam no meu diário soando mais como evidências do que uma nova perspectiva, eu:

- tentava não me fechar aos meus sentimentos;
- tentava ser corajosa e evitar fugir do problema;
- consultava amigos de confiança, meu orientador espiritual e a Palavra de Deus para encontrar possíveis distorções;
- procurava um versículo da Bíblia que esclarecesse uma parte da memória e aplicava a Palavra de Deus a meu modo de pensar;
- processava o acontecimento até encontrar uma perspectiva mais saudável para minha história.

Nem sempre posso ver o que está dentro do meu coração, mas posso ouvir o que transborda.

Como já disse, você não vai conseguir processar tudo isso em algumas horas, nem em alguns dias. Deixe este capítulo marcado e não deixe de consultá-lo sempre que precisar.

Levou um tempo para você chegar até aqui. Vai levar um tempo para curar suas mágoas e encontrar perspectivas mais saudáveis.

Não dá para apressar o processo.

É preciso sentir tudo o que há para ser sentido.

É preciso refletir tudo o que há para ser refletido.

É preciso colocar tudo para fora e organizar tudo.

Principalmente, é preciso aguentar firme e encarar tudo o que o processo implica.

Foi o que me comprometi a fazer no decorrer de todo o processo, sempre que tinha o impulso de retornar aos velhos padrões e desistir. Quero que você leia a próxima parte em voz alta como um compromisso pessoal:

- **EU NAO PRECISO FUGIR.** O que estou buscando nunca será encontrado fora de mim.
- **EU NÃO PRECISO ME ISOLAR.** As mentiras podem ser mais convincentes se eu for a única voz a protestar.
- **EU NÃO PRECISO FUGIR DO PROBLEMA.** Fugir da dor não vai ajudar em nada e não vai me aproximar

da cura. É melhor sentir os sentimentos com toda sua intensidade para me motivar a lidar com eles. Curar é deixar que o sentimento me aponte a causa do problema e, lidar com o problema dá lugar à esperança, paz e alegria que me levarão a seguir em frente.

- **EU NÃO PRECISO SILENCIAR AS PALAVRAS DO MEU DIÁRIO.** As palavras que escrevo no meu diário revelam o que está no meu coração. Nem sempre posso ver o que está dentro do meu coração, mas posso ouvir o que transborda e tudo faz parte da cura. O trabalho valerá a pena.
- **HÁ UMA VERSÃO CURADA DE MIM QUE QUER E ESTÁ ESPERANDO PARA SURGIR.** Eu consigo abrir mão das evidências que coletei, mas as evidências só me prendem ao lugar onde a dor ocorreu e eu me magoo vez após vez. Rejeitarei a tentação de alimentar rancores e vou parar de presumir que Deus não interveio para me ajudar. Em vez de fugir, recorrerei a Deus quando precisar de ajuda. Adotarei e seguirei uma nova perspectiva a partir de agora. Eu coletei os pontos. Eu liguei os pontos. E eu corrigi os pontos. Agora escolho acreditar que estou vivendo o desenlace mais misericordioso de Deus. Não sou uma vítima. Sou uma pessoa curada que venceu e está seguindo em frente.

E agora, querido amigo, isto é o que eu quero reforçar a você conforme você continua virando as páginas deste livro, mas retornando a esta seção:

Hoje é o dia em que você começa a se livrar de todas as frustrações, medos, fragmentos de meias-verdades e mentiras descaradas que o inimigo se empenhou tanto para fazer você acreditar. Separe o que é verdade de tudo o que é enganoso. Você não precisa preparar um discurso ensaiado para Deus. Você só precisa colocar tudo para fora. Abra os autos do processo e analise as evidências, não para usá-las contra os outros, mas para ver tudo à luz da verdade de Deus. Deixe que Ele lhe mostre o que você precisa aprender com tudo isso e leve as lições para sua vida,... mas não use sua dor contra os outros.

Deus está com você. Ele é o juiz. Ele é seu defensor, o único capaz de resgatá-lo e ajudá-lo. Lembre-se: evidências ressentidas trancadas no coração nunca levaram à justiça. Nunca fizeram os outros mudarem ou corrigirem um erro. Nunca fizeram os outros se arrependerem por tudo o que fizeram. Você só sai ferido e aprisionado no rótulo de vítima. É como continuar vivendo nos escombros de um prédio demolido, recusando-se a deixar que limpem os destroços. "Não!" você grita. "Não quero abrir mão deste vidro estilhaçado e destes tijolos quebrados, com a estrutura de aço toda retorcida como gravetos." Os destroços devem ser vistos pelo que eles são: evidências de um fim. Mas, uma vez que você admite o fim e limpa os destroços, pode usar este mesmo lugar para uma bela reconstrução.

As evidências reunidas não são um tesouro, nem um *souvenir* provando que você viajou para um lugar de provação, nem é uma arma secreta de justiça. São só escombros.

Você pode se sentir protegido pelos destroços e achar que eles estão tornando seu mundo melhor, mas eles são feios e afiados. E pode ter certeza de que não estão curando seu coração. É hora de admitir que eles não passam de escombros e começar a limpá-los. Você pode ficar com o que não está quebrado entre os destroços. Nem todas as suas memórias são terríveis.

Mas deve abrir espaço para deixar de se agarrar ao rancor e abrir-se para descobrir e receber o novo. A nova cura que você descobrirá será maravilhosa, mas provavelmente não esclarecerá as razões para toda essa dor. Aceitar o passado não significa que você será capaz de entender o que aconteceu. A vantagem é que há algo melhor do que respostas.

Para melhorar, você não precisa entender as razões. Não precisa entender por que eles o magoaram, por que eles o interpretaram mal, por que eles o traíram, por que eles não o amaram, não o protegeram ou não ficaram ao seu lado. As razões deles são multifacetadas, o resultado de uma mistura misteriosa da dor que eles carregam. Eles estão lidando com a própria desilusão e a alma deles está travando a própria batalha. No fim, acho que nem eles sabem por que fizeram o que fizeram.

Saber as razões não é uma dádiva se nunca fizer sentido.

Eles podem se amar demais ou de menos. O coração deles podia estar confuso ou endurecido ou quebradiço. Corações enternecidos não quebram, não ofendem, nem menosprezam, mas corações partidos com um passado não curado podem acabar trilhando caminhos errados. Eles ferem, agridem, dizem palavras que no fundo não queriam dizer. A dor que projetam não passa de uma tentativa de proteger uma enorme fragilidade.

Eu sei disso porque já fui assim. Eu feri e fui ferida. Lamento que você tenha sido ferido.

Não sei por que eles fizeram o que fizeram e não sei por que eles o abandonaram. Suponho que eles acharam que você ficaria melhor sem eles ou nem pensaram em você. Eles não conseguiram vê-lo da maneira como você precisava que eles o vissem, nem o amar como você tanto queria. Eles só precisavam partir.

Mas você não precisa saber as razões.

Esperar algo deles o mantém refém do que os outros podem não estar dispostos a dar.

E se você quiser seguir em frente? E se você quiser se curar? Deixar cair suas mágoas? Só você pode tomar essa decisão. Só você pode dar os passos necessários. Cabe a você se responsabilizar por sentir o que sente, pensar o que precisa pensar e dizer o que precisa ser dito.

A cura é sua. Você tem o poder de se curar e permanecer curado. A cura emocional não é tanto um nível a ser alcançado, mas uma nova maneira de pensar que você escolhe adotar.

É admitir que você pode estar pensando do jeito errado. Será que tem algum outro jeito? Sempre tem. Uma vaga melhor para estacionar. Uma lição mais saudável para aprender. Um caminho para o alto e avante, um futuro a ser encontrado. Podemos valorizar o que foi e deixar o resto para trás. Aprendemos as lições que nos tiram das garras da dor e nos livram do esforço impossível de resistir ao que deve ser aceito.

Quando você abre mão da mágoa e todos os rancores se vão, você ganha **PERSPECTIVA**, uma dádiva incrível.

> Quando sua perspectiva se volta ao que você ganhou no processo – um caráter reforçado, mais maturidade emocional, a capacidade de ajudar as pessoas que estão passando pela mesma coisa –, você sabe que está no caminho da cura! A perspectiva lhe trará um senso de renovação e garantirá a seu coração e à sua mente de que você é capaz de sobreviver a tudo. Não desista, não se entregue, não se perca no caminho. Persevere. Continue seguindo em frente e abra mão de todas as evidências.
>
> As evidências não o ajudarão; os argumentos baseados nas evidências não o curarão. Agarrar-se às mágoas só lhe roubará tudo o que é belo e tudo o que é possível para você. Abra mão. Entregue para Deus. Ele sabe o que aconteceu e tratará tudo com medidas iguais de misericórdia e justiça.
>
> Meu amigo, confie e continue com seu processo. Seu coração vai se curar e a vida vai seguir em frente.

As experiências que tenho afetam as **percepções que formo.**

As percepções que formo acabam se tornando nas **crenças que levo** em minha vida. As crenças que levo em minha vida determinum **o que vejo.**

CAPÍTULO 8

O IMUTÁVEL PARECE IMPERDOÁVEL

TENHO UMA FOTO EM PRETO E BRANCO minha encostada em uma árvore quando eu era uma menininha. Encontrei-a em uma caixa que continha tudo o que restou da minha infância. Desde quando eu era um bebê até meu casamento, décadas de quem eu sou estão guardadas naquela caixa. Minha mãe me entregou a caixa depois de limpar o sótão de sua casa. Ela estava abrindo espaço. E eu estava a caminho de me transformar na mulher que sou hoje. Aquela foto retrata minha aparência naquela época e também guarda segredos. Eu a tirei da caixa e a coloquei sobre a minha cômoda.

    Naquela foto, eu tinha longos cabelos castanhos que pareciam ter sido beijados pelo sol e eram quase loiros emoldurando meu rosto. Ele pendia em cachos bagunçados, meio que emaranhados, mas mesmo assim bonitos. Minha pele não tinha rugas, meu corpo era pequeno e eu não estava sorrindo. Parece que estava perdida em pensamentos e ninguém poderia imaginar que eu estava desesperada para ser resgatada. Estava praticando uma habilidade que ninguém precisou me ensinar. Esconder-me dentro de mim mesma.

    A foto foi tirada na época em que fui abusada pelo vizinho da minha avó. Ele abusou de meu corpo, mas também tentou destruir minha mente e minha alma. Ele usou as Escrituras para justificar atos tão terríveis que nenhuma menina jamais deveria ter de suportar e ele me convenceu de que eu era uma criança muito, muito má. E eu acreditei nele e me desprezei.

O que ele roubou de mim não foi só a inocência e a simplicidade da infância. Ele me puxou para um poço de medo e até hoje tenho dificuldade de não cair nele. Medo de não merecer ser amada, medo das pessoas me usarem e depois me descartarem e medo de a pior das hipóteses sempre acontecer comigo. Eu sabia que minhas amiguinhas não passavam por isso, então, por que estava acontecendo comigo?

A liberdade de ser uma criança alegre me foi roubada, pois aprendi a pensar como uma adulta para tentar me salvar. Quando o abuso parou, a menina despreocupada que um dia fui tinha sido substituída por uma garota cautelosa. E, apesar de eu ter feito muita terapia e passado por um longo processo de cura, ainda me pego achando que o pior vai acontecer comigo e vivo preparada para o baque.

Enquanto as pessoas presumem que nada de ruim vai acontecer com elas, eu presumo o contrário. Esses foram os pontos que liguei à mesa cinza. Mas descobri que, às vezes, se o que aconteceu parece imutável, posso achar que não faz sentido me esforçar para mudar minha perspectiva, pois é difícil ter uma perspectiva esperançosa em relação a desenlaces permanentes que você nunca quis para si. Pode parecer impossível perdoar quando alguém afetou não só um período de nossa vida, como nos afetou profundamente todos os dias desde então. Os efeitos colaterais arraigados, às vezes são os mais difíceis de perdoar. Você pode ter tudo esse tipo de sentimento com as feridas mais profundas de seu passado.

Para mim, como eu disse, os efeitos colaterais dos abusos que sofri na infância incluem minha mente saltando imediatamente para o pior cenário sempre que algo acontece. Essa tendência criou raízes tão profundas na minha forma de pensar que hoje é mais um instinto do que uma decisão consciente. Mesmo quando estou me divertindo, me pego ansiosa, pensando em tudo o que pode dar errado.

Já me imaginei sendo julgada e presa por milhares de acidentes variados que tentei impedir.

Planejei funerais para todos os entes queridos que demoraram para chegar em casa ou não atenderam o telefone quando liguei repetidas vezes.

Fiquei preocupada com coisas que todos estavam certos de que não aconteceriam e a angústia foi tanta que cheguei a passar mal.

Apenas algumas semanas atrás, estávamos de férias na praia e minha família decidiu entrar de ré com o carro no *drive-thru* de uma lanchonete. (Gente, de onde as pessoas tiram essas ideias?!) Eles estavam se divertindo como nunca, enquanto eu tentava desesperadamente me convencer de que ninguém morreria, seria preso ou sairia no noticiário com um letreiro rolando na parte inferior da tela dizendo: "Família sem noção causa danos irreparáveis a uma lanchonete".

Parece ridículo, mas é verdade.

Às vezes, me pergunto como seria a minha vida se pudesse me soltar e me divertir sem essa ansiedade toda, sem presumir que tudo vai dar terrivelmente errado.

Em minha defesa, na primeira vez que joguei golfe, disse que estava com medo de ser atingida pela bola de outro jogador e, acredite se quiser, foi o que aconteceu. Mesmo com as estatísticas mostrando que as chances de isso acontecer são menores que 1%, fui atingida na perna por uma bola de golfe, tendo passado menos de uma hora em um campo de golfe em toda a minha vida. Você pode não acreditar, mas parecia que a bola tinha um foco de laser mirando na minha perna, contornando bosques e árvores e me atingindo, enquanto procurava a bola na qual eu tinha dado uma tacada desengonçada um pouco antes.

E também aconteceu de um raio atingir o para-choque de metal do carro antigo que eu tinha na época. E, como você deve se lembrar, a casa onde eu morava na infância foi literalmente atropelada por um motorista bêbado um dia antes da minha festa de aniversário e a festa teve de ser cancelada. Como você pode ver, minha vida parece contestar todas as estatísticas, ou pelo menos eu vivo em um mundo onde coisas raras acontecem.

Coisas difíceis e injustas acontecem com todos nós. Pode ser que todos nós estejamos, em algum nível, nos preparando para o baque. Nós só expressamos isso de maneiras diferentes.

A agressão que aquele homem me infligiu me parece incrivelmente injusta. Mas posso dizer o mesmo de muitas outras tragédias que de alguma forma pesam dentro de mim.

Eu me pergunto como teria sido a minha vida se eu não tivesse perdido minha irmãzinha, se meu pai não tivesse parado de ligar, se eu não tivesse perdido minha amiga em um terrível acidente de carro e também se não tivesse perdido outro amigo para o câncer, pois o médico não detectou a doença antes e, ainda, outro para o suicídio, por não ter conseguido suportar a perseguição implacável da escuridão. E se aquele amigo em quem confiava não tivesse roubado todo aquele dinheiro? Ou se o vício e o caso nunca tivessem acontecido?

Às vezes, ainda choro por essas coisas. É tão injusto.

Pior ainda, é impossível mudar o que aconteceu. E se é impossível mudar, pode parecer absolutamente impossível perdoar.

Tudo isso me deixa profundamente pesarosa.

O pesar é o contrário de um sonho.

Quando você pensa que dias melhores estão por vir, diz coisas como: "Meu sonho é um dia me casar, ter filhos, ser uma atriz, uma chef de cozinha ou uma cientista" ou "Meu sonho é abrir um café, escrever um livro ou voltar a estudar".

Mas, quando está pesaroso por algo ou alguém que lhe foi tirado, você gostaria de poder voltar no tempo. Você sonha ao contrário.

Em vez de ter esperança nas possibilidades do futuro, você anseia por uma época mais inocente, quando não tinha consciência do lado trágico da vida. Mas a pessoa que está de luto por algo que perdeu sabe que não pode voltar no tempo. E a cura parece impossível, porque as circunstâncias parecem impossíveis de ser mudadas.

Veja se você se identifica com alguma das situações a seguir que são impossíveis de mudar:

- Quando alguém me tira algo que eu jamais poderei recuperar.
- Quando sou forçado a enfrentar não só o fim de um relacionamento, mas o fim de todos os sonhos e planos ligados à pessoa.
- Quando sinto uma dor tão grande, enquanto a pessoa que me feriu age como se nada tivesse acontecido.
- Quando a dor parece não ter fim.
- Quando as consequências parecem tão definitivas que não faço ideia de como seguir com a minha vida.
- Quando a pessoa feriu não só a mim, mas a toda a minha família.
- Quando sou constantemente lembrada da dor porque a pessoa que me feriu ainda faz parte da minha vida.
- Quando difamaram meu nome.
- Quando arruinaram uma oportunidade pela qual trabalhei a vida toda.
- Quando tiraram a vida de alguém que amava.

- Quando me feriram tanto e tão profundamente que acho que nunca mais vou me sentir normal.

As afirmações anteriores são acompanhadas não só de dor e perda, mas de uma tristeza tão profunda que chega a parecer insano pensar em perdão.

E, mesmo se você decidiu pelo perdão, como perdoar se a pessoa que o feriu é incapaz ou não se dispõe a cooperar? A pessoa pode se recusar a parar de magoá-lo. Ela pode não estar mais entre nós. Ou você não sabe como entrar em contato com ela. Ou entrar em contato com a pessoa pode colocá-lo em perigo ou em risco. Ou você não quer que a pessoa confunda sua iniciativa de entrar em contato com um sinal de que você quer retomar o relacionamento quando, na verdade, não quer. Ou a pessoa não aceitaria cooperar com o processo de perdão. Ou expressar seu perdão diretamente à pessoa causaria confusão porque ela não acha que precisa ser perdoada.

De que adiantaria perdoar nessas situações? Para que passar pelo profundo processo de perdoar se isso não vai fazer qualquer diferença? E como perdoar se parece que você só está jogando palavras ao vento, sem ninguém para ouvi-las, acolhê-las ou respondê-las?

Entendo as suas dúvidas porque eu mesma fiz essas perguntas e foi muito difícil encontrar as respostas. E, apesar de eu ser a primeira a levantar a mão e admitir que não é fácil perdoar, também sei que o perdão é a única coisa que pode levar a qualquer coisa boa. Qualquer outra escolha – incluindo a escolha de não fazer nada e permanecer onde estamos – só leva a ainda mais mágoas. Mas como podemos nos colocar em posição de perdoar? A seguir estão algumas verdades que aprendi a manter em mente quando vejo que estou tendo dificuldade para perdoar:

1. O PERDÃO É MAIS GRATIFICANTE DO QUE A VINGANÇA.

Concordo que a pessoa que o magoou deve pagar pelo que fez. Mas é a pessoa, e não você, que deveria pagar por isso. Buscar a vingança é pagar duas vezes pela dor infligida a você. Você paga quando é ferido. E paga de novo quando carrega essa dor em seu coração e acaba fazendo e dizendo coisas que não faria ou diria de outra forma. Você pode achar que vai se sentir melhor quando se vingar, mas o custo emocional e espiritual em longo prazo será muito maior do que você gostaria.

Você não quer trocar sua paz, maturidade, progresso espiritual, integridade e todas as outras belezas que só você pode dar ao mundo, apenas para infligir um pouco de sofrimento à pessoa que o magoou ou para tentar lhe ensinar uma lição. A única coisa que a sua vingança fará é somar-se às mágoas que já lhe foram causadas. O perdão entrega nas mãos do Senhor a sua necessidade de que a pessoa que o magoou seja punida ou penalizada, sabendo que Ele é o único capaz de fazê-lo com medidas corretas de justiça e misericórdia.

O perdão não livra a pessoa que nos magoou das consequências de seus atos, mas as coloca nas mãos de Deus. E, conforme você percorre o processo de perdão, seu coração vai amolecendo. Com o tempo, meu coração se enterneceu tanto que eu realmente não quero mais nenhuma mágoa... nem para mim, nem para a pessoa, nem para qualquer um dos envolvidos. Eu só quero paz. A paz resultante do perdão é mais gratificante do que a vingança.

> *Façam todo o possível para viver em paz com todos. Amados, nunca procurem vingar-se, mas deixem com Deus a ira, pois está escrito: "Minha é a vingança; eu retribuirei", diz o Senhor. Ao contrário: "Se o seu inimigo tiver fome, dê-lhe de comer; se tiver sede, dê-lhe de beber.*

Fazendo isso, você amontoará brasas vivas sobre a cabeça dele". Não se deixem vencer pelo mal, mas vençam o mal com o bem. (Romanos 12:18-21)

2. NOSSO DEUS NÃO É IMPASSÍVEL.

Um dia desses, participei de uma sessão de perguntas e respostas e uma mulher na plateia perguntou: "Como Deus pode ficar simplesmente impassível, sem fazer nada?" Dava para sentir a dor profunda em sua pergunta. Sua fé estava realmente abalada. E pode acreditar que eu sei muito bem como é sentir-se assim.

Lembro-me do desapontamento que senti durante minha jornada com Art, pois passei anos acreditando que ele conseguia sair ileso de qualquer coisa sem qualquer intervenção visível de Deus.

E, quando você está tão imerso em sofrimento que acha que não vai mais ter forças para viver e parece que tudo vai bem na vida do causador de sua dor, é fácil começar a supor que Deus não está fazendo nada.

Mas não servimos a um Deus impassível, pois ele está sempre trabalhando. Uma das minhas histórias favoritas da Bíblia é a história de José, que durante anos foi rejeitado, falsamente acusado, injustamente preso e aparentemente esquecido... mas Deus sempre sabe o que faz. Deus estava providenciando algo que só Ele poderia fazer com as circunstâncias de José. Ele estava posicionando José e preparando-o para ajudar a salvar a vida de milhões de pessoas durante uma onda de fome que, de outra forma, teria destruído várias nações.

Deus está sempre fazendo algo.

Não sei como esse princípio atuou com meu abusador, à vezes, ao contrário da história de José, não conseguimos ver, neste lado da eternidade, como Deus estava usando nossas experiências mais dolorosas. Mas posso usar os desígnios de Deus na história de José como um lembrete de que Ele está sempre atuando na minha história.

Hoje consigo conversar com Art e corrigir algumas das minhas suposições de que ele estava tendo uma vida maravilhosa nos anos em que viveu uma mentira. Deus estava atuando na história de meu marido, mesmo se eu não conseguisse ver qualquer evidência disso. E o pecado sempre vem acompanhado de uma punição. Atualmente, Art diz que estava muito infeliz naquela época, que ele estava preso em uma mentira que o forçava a representar um papel o tempo todo para dar a impressão de que tinha uma vida perfeita. Mas ele só conseguia manter as aparências usando substâncias entorpecentes que o estavam matando. Era uma armadilha com dentes cravados tão profundamente em sua alma que ele não consegue falar sobre aqueles anos sem implorar para as pessoas não se deixarem cair nesse pesadelo.

O pecado sempre vem disfarçado de diversão e alegria, afaste a cortina do coração humano ludibriado e o que você encontrará escondido lá o fará cair de joelhos e orar pela pessoa. Pode ser por isso que Deus nos instrui a orar por nossos inimigos. Jó 15:20 nos lembra: *"O ímpio sofre tormentos a vida toda"*. E o Salmo 44:15 diz: *"Sofro humilhação o tempo todo, e o meu rosto está coberto de vergonha"*.

O pecado, como diz Agostinho, "se torna a punição do pecado".

Mas nunca se esqueça de que a mão de Deus está em tudo. A pessoa que optar por pecar pode até parecer levar uma vida boa, mas a história não termina por aí. Deus sabe de toda a verdade. Deus não queria só mudar o comportamento de Art. Ele estava resgatando sua alma, e em momento, algum Deus deixou de agir.

> *Lancem sobre ele toda a sua ansiedade [todas as suas preocupações, todos os seus anseios, todos os seus temores de uma vez por todas], porque ele tem cuidado de vocês [com o mais profundo afeto e zela por você com muita atenção]. (1 Pedro 5:7)*

3. SEU OFENSOR TAMBÉM ESTÁ SOFRENDO.

Sem compaixão, é muito difícil perdoar, e é muito difícil ter compaixão por alguém que não demonstrou qualquer compaixão por você. Em vez de começar tentando sentir compaixão pela pessoa que o magoou, comece tendo compaixão pela dor que essa pessoa deve ter sentido para fazer o que fez.

Quem causa sofrimento está sofrendo. Não preciso conhecer as raízes desse sofrimento para saber que a ferida está lá. Em algum momento de sua vida, alguém brutalizou a inocência de seu ofensor. Ou fez com que ele se sentisse apavorado, abandonado, menosprezado, invisível, descartado, indesejado ou humilhado. Provavelmente, uma combinação de vários desses sentimentos. Costumo pensar em meu ofensor como uma criança desesperada por compaixão. Se eu puder ter compaixão pelo sofrimento de meu ofensor, posso ter um verdadeiro perdão por ele.

Como vimos, um coração enternecido é um coração aberto ao perdão, mas não estou falando de justificar um comportamento injustificável por culpa. Posso deixar que a compaixão me ajude a nunca acusar meu ofensor, nem me recusar a perdoá-lo.

Uma das pessoas que mais me magoou parecia ter uma vida perfeita. Parecia que ela nunca tinha passado por qualquer tipo de abuso, negligência ou dificuldade, contudo, o que parecia perfeito estava mergulhado em uma dor secreta. E chorei quando fiquei sabendo. Por sua dor. Pela minha dor. Pelo fato de que nenhum ser humano passa pela vida sem ser profundamente magoado ou ferido em algum momento.

Todos nós sentimos pesar.

> *Sejam bondosos e compassivos uns para com os outros, perdoando-se mutuamente, assim como Deus os perdoou em Cristo. (Efésios 4:32)*

4. O PROPÓSITO DO PERDÃO NEM SEMPRE É A RECONCILIAÇÃO.

Em alguns casos, é simplesmente impensável manter o relacionamento, mas isso não quer dizer que seja impossível perdoar. E, mesmo quando a reconciliação é possível, será preciso trabalhar muito no relacionamento.

Perdoar não significa que a confiança será restaurada imediatamente ou que as dinâmicas do relacionamento serão instantaneamente corrigidas. O objetivo do perdão é fazer uma limpeza em seu coração, cooperando com a instrução divina de perdoar e posicionar-se para receber o perdão de Deus. O perdão nem sempre conserta relacionamentos, mas ajuda a consertar um coração ferido.

> *Façam todo o possível para viver em paz com todos. (Romanos 12:18)*

> *O objetivo desta instrução é o amor que procede de um coração puro, de uma boa consciência e de uma fé sincera. (1 Timóteo 1:5)*

5. O INIMIGO É O VERDADEIRO VILÃO.

É verdade que as pessoas têm a escolha de pecar ou não contra nós, também é verdade que, quando nos magoamos, a pessoa que nos magoa executou, voluntariamente, o plano do inimigo. Mas gosto de lembrar que essa pessoa não é meu verdadeiro inimigo. O verdadeiro inimigo é real e sua missão é atacar todas as coisas boas e reais. Ele odeia a palavra *juntos* e faz de tudo para destruir qualquer coisa que honre e glorifique a Deus. Mas as Escrituras nos dizem que nós temos condições de nos posicionar contra as ciladas do inimigo.

Em Efésios 6:11, a palavra poder na forma grega original é *dynasthai*, que significa *"eu sou poderoso, eu tenho o poder"*[7]. Não somos impotentes quando o inimigo tenta criar problemas entre nós. O segredo é nos conscientizarmos disso, pois o poder não está em questão. Mas acontece muito de nossa consciência e de nosso poder aumentar e diminuir de acordo com nossa propensão a fazer o que a Palavra de Deus nos diz para fazer diante de um conflito.

Não é fácil encarar essa verdade e a carapuça me serve à perfeição. A melhor maneira de derrotar o inimigo é fazer o que Deus instrui, quando não estou disposta a praticar a Palavra de Deus com alguém. Não há nada mais poderoso do que uma pessoa que pratica a Palavra de Deus.

Efésios 6:11-12 nos encoraja a *"vestir toda a armadura de Deus, para poderem ficar firmes contra as ciladas do Diabo. Pois a nossa luta não é contra seres humanos, mas contra os poderes e autoridades, contra os dominadores deste mundo de trevas, contra as forças espirituais do mal nas regiões celestiais"*.

Caro amigo, as mágoas que você carrega são enormes. Eu sei. As minhas também são. E entendo bem o seu desejo de desfazer parte do que foi feito. Sinceramente, acho que em muitos níveis isso prova que você é uma pessoa honrada. É normal querer que as coisas mudem e ao mesmo tempo aceitar que, deste lado da eternidade, você não tem como fazer tudo ou todos mudarem como você acha que deveriam. Tudo bem ter esses dois sentimentos ao mesmo tempo. Você pode honrar os dois.

> *Não há nada mais poderoso do que uma pessoa que pratica a Palavra de Deus.*

    É um grande alívio saber que a verdade inegável incorporada à minha perspectiva faz com que até o imutável seja perdoável. Não há nada de simples nisso e não basta ler essa verdade para assimilá-la em seu coração. É preciso refletir bastante até ousarmos mergulhar nela e colocá-la em prática. E quem sabe um dia declarar que vivemos guiados por essa verdade.

Mas não servimos a um Deus **impassível.** Ele está sempre **trabalhando.**

CAPÍTULO 9

LIMITES QUE NOS AJUDAM A PARAR DE DANÇAR COM A DISFUNÇÃO

JÁ PASSAVA DA MEIA-NOITE e eu estava ao volante voltando para casa, me sentindo totalmente desamparada, incompetente e devastada com a minha incapacidade de consertar o caos que minha vida tinha se transformado. Escolhas estavam sendo feitas por alguém que eu amava muito e, apesar de não ter qualquer controle sobre essas escolhas, eu estava sendo profundamente afetada por elas. Chovia torrencialmente e parecia que baldes de água caíam de uma vez no para-brisa do carro. Percebi que eu era tão impotente para consertar o que estava acontecendo com aquela pessoa quanto para impedir a chuva.

Eu até poderia sair do carro e gritar, bater os pés e levantar as mãos aos céus exigindo que as gotas parassem de cair, mas, enquanto as nuvens não se esvaziassem ou Deus fizesse um milagre, a chuva continuaria afogando minhas tentativas infrutíferas. Mais cedo ou mais tarde, teria de entrar no carro, encharcada e derrotada.

Não posso controlar coisas que estão fora do meu controle.

É mais fácil aceitar o fato de que não posso parar a chuva.

Mas é muito mais complicado testemunhar alguém que amo se desintegrar completamente diante dos meus olhos, principalmente quando suas ações também estão prejudicando minha vida.

Acho especialmente difícil perdoar quando aviso a pessoa que eu amo que, se ela tomar essa decisão, nós dois vamos ter de pagar um preço que nenhum de nós, em um momento de sanidade e racionalidade, gostaria de pagar. Quanto mais profundo é meu envolvimento com a pessoa, mais sou afetada por suas decisões. Quanto mais suas decisões me afetam, maior é o custo emocional, físico, mental e financeiro que tenho de pagar por suas decisões.

É quase como se a pessoa estivesse diante do vaso sanitário jogando coisas que não suporto perder e dando a descarga. E não é só dinheiro perdido, emoções devastadas e angústia mental que vejo indo pelo ralo. São todas as esperanças e anseios para o nosso futuro, sonhos que poderiam ser realizados se a pessoa não estivesse tomando essas decisões terríveis.

Já é complicado perdoar quando alguém o magoa. Mas, quando parece que a pessoa está deliberadamente jogando sua vida junto com a dela no vaso sanitário e você não tem controle algum sobre a situação, você pode sentir-se tão impotente que a única coisa que tem para se posicionar contra essa loucura é optar por não perdoar.

Sei muito bem como é.

Naquela noite chuvosa, a decisão tomada por outra pessoa e que estava fora do meu controle levou pelo ralo muitas coisas das quais não queria abrir mão. A injustiça da perda, o egoísmo da pessoa, a total falta de discernimento e de maturidade demonstrada pela pessoa da qual esperávamos mais, tudo isso obriga os dois a arcar com um preço terrível. De tal maneira que levaria anos de terapia para resolver. O perdão sem dúvida faria parte desse processo, mas, naquela noite chuvosa, ainda era impensável perdoar porque eu estava focada em tentar sobreviver a cada minuto. Imagino que, neste exato momento, alguns de vocês estejam nesse ponto de sua trajetória, como eu estive um dia.

Uma amiga que você adora pode ter tomado a péssima decisão de namorar alguém que está destruindo aos poucos o que ela tem de melhor. Você fez o que pôde para alertá-la e agora ela está usando isso contra você e fazendo acusações terríveis sobre suas intenções. Vocês sempre sonharam com uma amizade eterna, indo ao casamento uma da outra, vendo os filhos brincando juntos e fazendo viagens de férias em família. Mas, se ela ficar com esse sujeito, ele não só vai arruinar o mundo dela como você pode ver claramente que nenhum daqueles sonhos jamais vai se concretizar.

E você acha que ele poderá abandoná-la um dia e ela virá pedir ajuda a você, que terá de pagar um preço enorme com ela. Você sabe que terá muito o que perdoar quando ela vier pedindo para voltar a entrar no mundo dela.

Ou você pode ter passado anos dando conselhos, educação e amor a um jovem e descobre que ele é dependente de uma substância danosa e destrutiva. Você está desesperado para ajudar a libertar o jovem das garras desse monstro que destruirá o futuro promissor que tanto deseja para ele. Você tem medo da devastação que ocorrerá quando ele finalmente chegar ao fundo do poço e sabe que precisará perdoá-lo para ele poder se curar. Será que você terá de ir vê-lo na prisão? Em um abrigo de indigentes? Um centro de tratamento? Ou, pior ainda, um necrotério? *Meu Deus, qual é o preço que minha família terá de pagar por essa devastação que um dia eu terei de perdoar?*

Ou seu marido ou mulher pode estar tomando decisões questionáveis, caóticas e chocantes. Você não quer acreditar no pior, mas não consegue entender o que ele está fazendo nem as desculpas que está dando. Um alarme está soando em sua cabeça, mas você não consegue preencher as lacunas com os detalhes. O que você sabe com certeza é que tem alguma coisa de errado. Você quer, com todas as suas forças, consertar a situação. Você já viu outros casais passando por isso e sabe que todos os envolvidos podem passar décadas pagando o preço. A sensação é que a sua vida está sendo desmantelada na base. Como cogitar o perdão sabendo que as decisões do outro terão consequências irreversíveis para o resto de sua vida?

As decisões destrutivas sempre afetam mais pessoas do que apenas quem as toma. Essas decisões também impactam todas as pessoas que se relacionam com ela.

Quero começar este capítulo mostrando o que fazer quando só estamos tentando sobreviver, mas sabemos que, mais cedo ou mais tarde, precisaremos perdoar. Hoje, podemos tomar algumas decisões para possibilitar o perdão no futuro.

Em geral, uma pessoa faz escolhas destrutivas porque está sofrendo, como já vimos várias vezes neste livro, o ato de magoar alguém se estende a muitas outras pessoas. Quando reconhecemos isso, podemos canalizar nossa energia a uma das duas direções a seguir.

A primeira direção é estabelecer limites. Não para excluir as pessoas de nosso círculo de convivência, mas para nos proteger das consequências de seus comportamentos não saudáveis que nos afetam mais do que a elas.

A outra direção é tentar mudar a pessoa, só que o relacionamento entre vocês só ficará mais difícil a cada vez que você tentar controlá-la. E você conseguirá, no máximo, mudar o comportamento da pessoa, não a pessoa em si.

A maioria de nós concordaria que não é possível mudar os outros. Quando nos vemos em uma situação na qual sentimos que só podemos evitar realidades insuportáveis se conseguirmos mudar o outro, acabamos exauridos tentando fazer o impossível.

Tudo o que podemos fazer é estabelecer limites.

Sei que muitos livros já foram escritos sobre limites. Podemos até ter dominado a aplicação desses conselhos em algumas situações, mas sempre surge uma exceção quando os limites parecem impossíveis e parece cruel deixar de ajudar uma pessoa querida.

Eu sei porque senti isso na pele.

Mas, quando deixei de estabelecer limites, o resultado foi um afastamento com o tempo. Os relacionamentos que precisam de limites não vão melhorar sozinhos.

Tentar mudar os outros só resultará em frustração tanto para você quanto para a pessoa. Pode ter certeza de que as pessoas que você acha que mais precisam mudar acabam mudando menos quando você se empenha mais do que elas.

Acho que um dos dias mais dolorosos de toda a minha jornada com Art foi quando tive de parar de tentar mudá-lo. Eu estava me empenhando mais para mudá-lo do que ele mesmo. E essa minha atitude só estava agravando o problema.

Se a pessoa não buscar uma transformação positiva, ela jamais será capaz de escolher comportamentos melhores para si. E, assim que você a livra da jaula do seu controle, ela vai piorar, não melhorar. Não só a pessoa vai piorar como a situação e você vão piorar também.

Releia com atenção a última frase. Quando você usa todos os seus recursos emocionais, físicos, financeiros ou relacionais para ajudar uma pessoa que não quer ajuda, você só se enfraquece no processo. Quanto mais você permite que as ações da pessoa lhe custem um preço, maior será a dívida que você precisará perdoar mais adiante. Você já pagou um preço alto por essa situação. Se você continuar dando o que tem à pessoa, mais desgastado e exaurido ficará. Você usará tudo o que tem e acabará, na melhor das hipóteses, frustrado e, na pior, devastado. É um dos momentos mais dolorosos da vida ter de deixar um ente querido enfrentar as consequências de suas próprias escolhas. Mas também é a única chance que vocês dois têm de melhorar, é a única chance que você tem de manter a força para conseguir trilhar o caminho do perdão.

Não costumo ser uma pessoa controladora, mas posso entrar no modo de resgate com muita rapidez. Os especialistas dizem que, diante de um conflito, medo ou ansiedade extremos, as pessoas entram em modo de lutar, fugir ou congelar. Acho que daria para incluir uma quarta reação a essa lista: surtar. Como é que vou deixar de surtar ao ver a pessoa que amo tanto vivendo em negação ou sonhando acordada deitada no meio de um trilho de trem e ao ver o trem se aproximando rapidamente? O trem chega trazendo o desastre ribombando, apitando e acendendo os faróis, mas, apesar de ser óbvio que as consequências serão trágicas, a pessoa continua nos trilhos, como se nada estivesse acontecendo.

E quem surta sou eu. Quem perde o sono sou eu. Sou eu quem está pulando, agitando os braços com bandeiras vermelhas, fazendo de tudo para salvar a pessoa enquanto ela fica em uma espécie de estupor, sem conseguir me ouvir, ou em um vórtice de orgulho que a leva a recusar-se a me ouvir... como é que eu posso ver isso acontecendo sem tentar assumir o controle da situação?!

Outro dia desses, escrevi no meu diário:

> *É muito frustrante quando compartilho uma lição da Bíblia a alguém que eu amo muito e ele vai e faz o contrário. Fico extremamente ansiosa quando sei que não adianta dizer nada para aliviar o caos em que ele está vivendo. Não estou querendo ser dramática nem emotiva... Só estou tentando salvar sua vida!*

Mas é impossível salvar alguém que acha que não precisa ser salvo. Mesmo se conseguir tirá-lo dos trilhos de trem hoje, ele vai voltar ao mesmo lugar amanhã. Se o seu coração está mais comprometido com a mudança do que o dele, você pode até adiar o desastre do trem, mas não conseguirá impedi-lo.

E, pela minha experiência, quanto mais você for aos trilhos para tentar resgatá-lo, maiores são as chances de o trem atropelar vocês dois.

Não é fácil para mim dizer isso, mas digo isso com amor porque é verdade. Adoraria poder dizer que você tem como fazer essa pessoa mudar... que você tem como dar... amar... perdoar... implorar... convencer... ou controlar o suficiente para levar a uma transformação. Mas não é verdade e a mudança só é possível de dentro para fora. Uma mudança sustentável e duradoura deve vir de dentro de seu próprio coração, não de uma pressão externa.

Pense na massagem cardíaca. Aplicar pressão de fora para dentro pode bombear o sangue pelas veias de alguém que sofreu uma parada cardíaca, pelo menos por um tempo. Mas a pessoa não tem como passar a vida inteira nesse estado. Nem você. Se o coração da pessoa não começar a bater por conta própria, você vai precisar parar de massagear mais cedo ou mais tarde. Nesse ponto, você pode chamar um socorrista para aplicar um desfibrilador e continuar tentando fazer uma massagem cardíaca. Mas até os melhores médicos e enfermeiras sabem que, mais cedo ou mais tarde, o coração vai ter de bater sozinho para sustentar a vida do paciente.

Esse princípio também se aplica à vida de um relacionamento.

Isso não quer dizer que devo deixar de gostar da pessoa, mas também não quer dizer que precise cortar a pessoa da minha vida para sempre. Mas quer dizer que eu preciso mudar meu papel e minha função no relacionamento. Desejo que a pessoa seja salva, mas seu Salvador não sou eu. Quero que a pessoa melhore, mas de nada adianta eu fazer o trabalho por ela. Essa pessoa precisa de Jesus, não de mim, também precisa ter mais autocontrole. Em vez de tentar controlar a pessoa, tento ter mais compaixão por ela.

A compaixão me permite amar a pessoa, ter empatia por seu sofrimento e ver o lado dela da história mesmo se não concordar com ela. E também me possibilita dizer o que penso sobre a situação, mas, depois de dizer o que penso, dar o meu conselho e compartilhar minha experiência, escolho, deliberadamente, não resgatar a pessoa se ela sair e fizer o contrário. Posso chorar com ela e posso me alegrar com ela, como a Bíblia instrui em Romanos 12:15.

Mas chorar e alegrar-se com a pessoa não significa tentar controlar as escolhas e os comportamentos descontrolados dela. Podemos perdoá-la, mas não podemos controlá-la. E não devemos lhe dar condições para afundar ainda mais.

Como saber que, em vez de chorar com a pessoa e ter uma empatia saudável por ela, passamos a lhe dar condições para afundar ainda mais? Podemos e devemos ter empatia pelo sofrimento de uma pessoa querida. Contudo, entramos em um território perigoso quando permitimos que ela continue se comportando mal, ao fechar os olhos para os efeitos negativos que esse comportamento está tendo em nós e fantasiar com o dia em que ela finalmente vai cair em si e ver que sempre estivemos lá para resgatá-la. Na maioria das vezes, em vez de sermos os heróis, na verdade, estamos sendo cúmplices, perpetuando o sofrimento da pessoa e o nosso e viabilizando, ou facilitando, comportamentos disfuncionais.

O termo *facilitador* costuma ser usado para referir-se a amigos e familiares que perpetuam algum vício de um ente querido, fechando os olhos para suas escolhas, resgatando-os das consequências e relativizando os problemas resultantes. Também podemos *facilitar* comportamentos que não são causados por um vício, mas por outras questões que a pessoa se recusa a reconhecer e espera que os outros tolerem e aceitem como normais.

Segundo Jim Cress, meu orientador espiritual: "Quando sou o facilitador de alguém quer dizer que me empenho mais para resolver seus problemas do que a própria pessoa. Sou o facilitador de alguém quando permito que a pessoa desrespeite meus limites sem pagar as consequências. Sou o facilitador de alguém quando sou um cúmplice de seu comportamento não saudável, defendendo, justificando, fazendo vista grossa, dando álibis, mentindo ou guardando segredos para proteger a pessoa. Sou o facilitador de alguém quando culpo outras pessoas ou situações pelo comportamento não saudável ou irresponsável da pessoa".

O perdão não deve ser uma porta aberta para as pessoas se aproveitarem de nós. O perdão nos libera de nossa necessidade de retaliar, não de nossa necessidade de estabelecer limites.

É verdade que somos afetados pelas ações dos outros, mas não somos responsáveis por suas ações, porém precisamos nos responsabilizar tanto por nossas ações quanto por nossas reações. Temos de reconhecer a maneira como os outros estão nos afetando e nos distanciar deles quando formos incapazes de ter reações e ações saudáveis.

Pode parecer um contrassenso, mas essa é uma demonstração do amor bíblico e encontramos esse belo equilíbrio em Romanos 12. Leia Romanos 12:9–21 no quadro a seguir e pense no que o ajuda a viver dessa maneira e no que o força ir além de sua capacidade espiritual de praticar as instruções desses versículos. Anote, em uma folha de papel ou em seu diário, trechos dos versículos a seguir que você acha que poderia praticar melhor se estabelecesse mais limites.

> *O amor deve ser sincero. Odeiem o que é mau; apeguem-se ao que é bom. Dediquem-se uns aos outros com amor fraternal. Prefiram dar honra aos outros mais do que a vocês. Nunca falte a vocês o zelo, sejam fervorosos no espírito, sirvam ao Senhor. Alegrem-se*

na esperança, sejam pacientes na tribulação, perseverem na oração. Compartilhem o que vocês têm com os santos em suas necessidades. Pratiquem a hospitalidade.

Abençoem aqueles que os perseguem; abençoem-nos, não os amaldiçoem. Alegrem-se com os que se alegram; chorem com os que choram. Tenham uma mesma atitude uns para com os outros. Não sejam orgulhosos, mas estejam dispostos a associar-se a pessoas de posição inferior. Não sejam sábios aos seus próprios olhos.

Não retribuam a ninguém mal por mal. Procurem fazer o que é correto aos olhos de todos. Façam todo o possível para viver em paz com todos. Amados, nunca procurem vingar-se, mas deixem com Deus a ira, pois está escrito: "Minha é a vingança; eu retribuirei", diz o Senhor. Ao contrário:

"Se o seu inimigo tiver fome, dê-lhe de comer; se tiver sede, dê-lhe de beber.

Fazendo isso, você amontoará brasas vivas sobre a cabeça dele". Não se deixem vencer pelo mal, mas vençam o mal com o bem.

Não esqueça que o objetivo é manter nossa compaixão pelos outros sem reagir descontroladamente às ações descontroladas deles.

Sei que não é fácil, mas estou aprendendo com você, e parece que, quando sinto que estou progredindo, alguma coisa acontece que me puxa para trás. Para você ter uma ideia, neste exato momento tenho duas sacolas de supermercado cheias de papéis rasgados na minha cozinha. Por quê? Que bom que você perguntou. Não me orgulho do que vou contar, mas, em vez de fazer o que aprendi neste capítulo, aconteceu uma coisa que me fez perder o controle.

Uns documentos importantes chegaram pelo correio. Em minha defesa, meu nome estava incluído no envelope. Mas, assim que abri o envelope e comecei a ler o conteúdo, minha pressão foi às alturas. Um parente tinha tomado uma decisão sabendo que eu discordaria. Eu já tinha dito, em alto e bom som, todas as minhas razões para não seguir adiante com a ideia. Eu não acreditei que a pessoa simplesmente não me deu ouvidos. Eu não aguentava mais ter de defender os limites que tinha estabelecido. Olhando para trás agora, só devia ter lembrado aquele parente que não lhe daria qualquer ajuda financeira caso sua decisão fosse um desastre.

Minha família sabe que eu e Art temos nossos limites para a ajuda financeira que nos dispomos a dar. Somos generosos com viagens e presentes, mas não pagamos para aliviar as consequências de uma compra ou decisão irresponsável. Fiquei tão exasperada e furiosa que tudo o que queria fazer era rasgar os documentos em pedacinhos. E foi o que fiz.

Levei o envelope para a cozinha e fiquei um tempão picotando os papéis em um milhão de pedacinhos. E, quando destruí a última folha, ainda não me dei por satisfeita. Também rasguei as pastas que continham os documentos e o envelopes. Enchi duas sacolas de supermercado com os destroços da minha fúria e as deixei sobre o balcão da cozinha com um bilhete dizendo: "É o que eu tenho a dizer sobre a situação".

A sensação foi ótima, mas quando acordei no dia seguinte, me perguntei: "É sério mesmo que você fez isso, Lysa?!" Tudo o que meu parente respondeu foi: "Caramba, achei o seu bilhete um pouco forte". Agora eu é que devia desculpas e precisava dar um jeito de pedir para a empresa reenviar os documentos que eu, sem querer, de propósito, em uma crise de insanidade, destruí. Quando fui fazer isso, a mulher que me atendeu contou que tinha acabado de ler um livro meu. Perfeito! Maravilha! Que vergonha.

Nosso autocontrole não pode depender de nossas tentativas de controlar os outros. Sei que forço a barra da minha capacidade quando passo de palavras tranquilas a ataques de fúria. Eu passo de abençoar a amaldiçoar. Passo da paz ao caos. Passo de conversar sobre os termos de um acordo e lembrar a pessoa de meus limites a rasgar documentos e deixar os pedaços com um bilhete raivoso. Passo de confiar em Deus a tentar consertar tudo sozinha. E nenhuma dessas reações me ajuda a exercitar a compaixão ou a perdoar.

O perdão é impossível sem compaixão. Enquanto você estiver tentando controlar a pessoa, nunca vai ser capaz de perdoá-la. Uma das razões é que você continua se frustrando e sabotando o processo de perdão. Mas a outra razão é que, se você não estabelecer limites, as más escolhas da pessoa vão exaurir a sua capacidade espiritual de manter a compaixão.

Sem falar que, mais cedo ou mais tarde, você ficará tão exaurido e exausto que perderá o autocontrole porque o outro está totalmente fora de controle. Você sacrificará a sua paz no altar do caos do outro. Não vai demorar para você ser tomado pela urgência desesperada de fazer a pessoa parar. Agora mesmo! E todo mundo sabe que atos de desespero andam de mãos dadas com a degradação. Ainda preciso aprender essa lição porque tendo a me rebaixar em momentos de extrema frustração e exaustão quando me vejo incapaz de impor os limites que estabeleci. O objetivo dos limites não é afastar o outro, mas sim manter minha integridade.

Sem limites, minha gentileza se degrada para transformar-se em palavras impensadas e carregadas de ira e ressentimento. Meu progresso em direção ao perdão se degrada para transformar-se em amargura. Minha sinceridade se degrada para transformar-se em palavras frustradas, carregadas de raiva, agressão ou grosseria.

Minha atitude reconciliatória se degrada para transformar-se em atos de retaliação... não porque eu não sou uma pessoa boa, mas porque não sou uma pessoa capaz de impor limites.

E os limites dependem só de mim, não dos outros. Seria muito melhor direcionar minha energia às escolhas que posso fazer para me manter saudável e, ao mesmo tempo, para oferecer toda a compaixão que sou capaz de dar. E manter minha humildade perante ao Senhor, pedindo a Ele que me ajude a crescer e amadurecer para minha capacidade continuar aumentando.

Como podemos colocar isso em prática? Vale a pena começar lembrando que, como estamos falando da compaixão no contexto de problemas de relacionamento, impor limites não vai dar um jeito na situação de uma hora para a outra. Nem significa que o simples fato de estabelecermos um limite vai colocar a pessoa do nosso lado e levá-la a mudar seu comportamento como queremos. Tampouco que esses limites serão vistos por todos os envolvidos como belos acréscimos ao relacionamento. Vejamos algumas perguntas que vale a pena considerar:

- Que tipo de pessoa quero ser, não só neste relacionamento, mas em todos os meus relacionamentos?
- O que preciso fazer neste relacionamento para manter a coerência em termos do meu caráter, conduta e comunicação?
- Em quais áreas da minha vida sinto que minha capacidade é mais limitada? (Exemplos: no trabalho, criando os filhos, nos encontros familiares de fim de ano.)
- Com base em uma avaliação realista da minha capacidade, de que maneiras este relacionamento ameaça ultrapassar os limites do que tenho condições de dar?

- Eu sinto que tenho, neste relacionamento, a liberdade de dizer o que posso e não posso dar sem medo de ser punido ou rejeitado?
- Quais são algumas restrições realistas que posso impor a mim mesmo para reduzir o acesso dessa pessoa a meus recursos emocionais ou físicos mais escassos?
- Em qual período do dia é *mais saudável* para mim interagir com essa pessoa?
- Em qual período do dia é *menos saudável* para mim interagir com essa pessoa?
- De quais maneiras o comportamento imprevisível da pessoa está deteriorando minha confiança em meus outros relacionamentos?
- De quais maneiras estou pagando, mais do que a própria pessoa, pelas consequências de suas escolhas?
- Quais são as expectativas mais realistas e menos realistas que a pessoa tem de mim? Quais são as minhas expectativas mais realistas e menos realistas em relação à pessoa?
- Quais limites preciso estabelecer?

Pode ser interessante refletir sobre essas questões com a ajuda de um mentor religioso ou orientador espiritual de confiança. Não estou levantando essas questões para complicar ainda mais a dinâmica do seu relacionamento. A ideia é ajudar a identificar as situações nas quais estamos dançando com a disfunção. As realidades tóxicas nos relacionamentos não se dissipam sozinhas, por isso, não adianta ignorá-las na esperança de que elas se resolverão por conta própria e não podemos tentar forçá-las a um lugar melhor. Precisamos admitir que as dificuldades estão piorando e talvez até impedindo alguns relacionamentos de sobreviverem e se manterem saudáveis.

> *É pelo bem de sua sanidade que você deve impor limites. É pelo bem de sua estabilidade que você deve manter-se coerente com esses limites.*

Sinceramente, já passou da hora de ensinar a algumas pessoas como queremos ser tratados. Não veja isso como uma crítica. Se você estiver em uma situação abusiva, não estou sugerindo que a culpa é sua. E, se você sofreu algum trauma emocional em um relacionamento, não estou dizendo que você poderia ter feito alguma coisa diferente para evitar a situação. Mas é importante saber que, nos próximos relacionamentos, podemos expressar o que consideramos aceitável ou não.

Essa é outra lição que ainda estou aprendendo e preciso da sua ajuda para colocá-la em prática da mesma forma como prometo ajudá-lo. Mas, amigo, não podemos esquecer que só colocamos em prática o que nos permitimos viver. Não quero que pratiquemos nada que não seja bíblico ou que seja impossível de suportar. Pode ser a hora de educar algumas pessoas com limites claros, implementados com elegância e mantidos com coerência.

É pelo bem de sua sanidade que você deve impor limites.

É pelo bem de sua estabilidade que você deve manter-se coerente com esses limites.

Mas nunca esqueça que, à medida que crescemos em Cristo, nossa capacidade de compaixão tende a aumentar. Portanto, é pelo bem de sua maturidade que você pede ao Senhor para ajudá-lo a repensar esses limites.

Conforme crescemos e amadurecemos, nossos limites podem mudar. O relacionamento pode ficar mais saudável. Ou a sua capacidade espiritual pode permitir que a pessoa tenha mais acesso à sua compaixão. O perdão pode ter atuado com tanta beleza que a reconciliação passa a exigir menos restrições. Repensar seus limites com a ajuda de um orientador espiritual pode ajudá-lo a tomar essa decisão, tendo em vista promover a sua saúde e a saúde do relacionamento com base na palavra do Senhor, mais do que uma mera reação emocional apressada e impensada.

Você deve definir limites saudáveis pelo bem da liberdade e do crescimento e para restabelecer hábitos saudáveis para todos os envolvidos no relacionamento. Como já vimos, o objetivo dos limites não é manter a pessoa afastada, mas ajudar a manter o relacionamento. Impondo limites claros, você pode continuar amando a pessoa e tratando-a com respeito.

Essa é a atmosfera necessária para viver um relacionamento que exige perdão 70 X 7, sem abusar de sua graça nem destruir seu coração.

Ao estabelecer limites, lembre:

- Como meu orientador espiritual costuma dizer: "Os adultos informam, as crianças explicam". Vou estabelecer meus limites com compaixão e clareza. Mas não vou negociar justificativas nem aceitar exceções acompanhadas de longas explicações que me desgastam emocionalmente.
- Posso evitar a pessoa nas redes sociais para me preservar de gatilhos que provocam emoções não saudáveis. Pode ser melhor do que deixar de seguir essa pessoa nas redes sociais... mas também posso fazer isso se for mais apropriado para a situação.

- Não vou varrer mentiras para debaixo do tapete, nem ajudar a pessoa a encobrir seu mau comportamento. Vou dizer com clareza quais são os meus limites para esse tipo de comportamento que só desgasta minha confiança nas pessoas.
- Eu posso dizer não. Não devo confundir o mandamento de amar com a mazela de querer agradar a todos.
- Posso dizer com clareza o que posso e o que não posso dar. Esclarecer os limites da minha capacidade não faz de mim uma pessoa má. A disfunção reduz a minha capacidade em todas as áreas da minha vida. Os limites aumentam a minha capacidade de funcionar com mais coerência nos limites da minha capacidade.
- Quando sinto que as ações da pessoa costumam afetar negativamente meu humor e minhas reações, posso reduzir o acesso dessa pessoa às minhas emoções mais vulneráveis e a meus recursos limitados. Não faço isso só para me proteger, mas, também, para proteger as pessoas do meu convívio. Não é justo eu me deixar irritar ou me enfurecer com uma pessoa que não respeita meus limites e descontar em quem não tem nada a ver com a história.
- Posso optar por não me entrar em conversas que instigam a turbulência emocional. Pode ser interessante conversar sobre a situação com um orientador de confiança. Conversar sobre a situação com uma pessoa que só quer fazer fofoca é calúnia e me jogará no poço da difamação.
- Não vou desmoronar se a pessoa me acusar de más intenções quando eu estabelecer limites. É melhor eu dizer com firmeza: "Saiba que o que estou dizendo é

por amor a você. Vou respeitar suas escolhas. Mas preciso que você respeite as minhas. Ao informar meus limites não estou querendo controlar nem manipular. Só estou querendo lançar uma luz em uma situação complicada".

Para fechar este capítulo, quero repetir que não é fácil,... mas é possível. Reflita na parte deste capítulo que mais se aplica a você atualmente. Evite ficar sobrecarregado, mas saia fortalecido com o novo objetivo de buscar uma maneira mais saudável de viver e amar. É o que estou fazendo.

Nós vamos conseguir! Marque este capítulo para consultar sempre que começar a achar que o relacionamento está voltando a ficar conturbado. Você terá altos e baixos nesta jornada. Mas, enquanto estivermos buscando seguir as instruções de Deus para sermos o nosso melhor, mantendo a bondade em nosso coração, a pureza em nossas intenções e a firmeza em nossos limites, encontraremos o caminho.

O perdão

nos libera de nossa necessidade de

retalhar,

não de nossa necessidade de estabelecer limites.

CAPITULO 10

PORQUE ELES ACHARAM QUE DEUS OS SALVARIAM

ONDE DEUS ESTAVA *quando aquilo aconteceu? Se Ele é todo poderoso, por que não fez nada para impedir? Ele podia ter mudado a situação... Ele poderia dar um jeito nisso agora... Ele poderia fazer um milagre... Por que Ele não faz nada?*

Dei centenas de sugestões a Deus para Ele consertar tudo o que estava errado quando eu e Art passamos pelo nosso "túnel do caos". Mas Deus não interveio como insistia em achar que Ele faria. Eu ficava imaginando tudo o que Deus poderia fazer para impedir tudo o que estava acontecendo, a dor, a trágica destruição, os danos que só aumentavam. Eu orava e orava. Depois de orar, ficava procurando vislumbres de esperança e pequenos indícios confirmando que Deus tinha ouvido minhas preces e ficava criando cenários perfeitos para a atuação de Deus.

E, se eu visse Deus fazer o que achava que Ele deveria fazer – resgatar e restaurar –, faria o que Ele queria que eu fizesse: perdoar. Eu não diria que estava tentando negociar com Deus... mas, sem dúvida, achava que nós dois tínhamos papéis a desempenhar.

Eu prendia a respiração, esperando por uma mudança gloriosa que, finalmente, me permitiria dar um suspiro de alívio. Dia após dia eu orava, observava, acreditava, chorava, caía exausta na cama, orava um pouco mais, sonhava com dias melhores e lutava contra todas as perspectivas dos piores cenários que se imiscuíam na minha mente sempre que eu tentava dormir.

Mas, ao não ver qualquer evidência concreta da intervenção divina em Art, eu acabava sentindo que não era vista nem ouvida.

Quanto mais sentia que não era vista nem ouvida, mais meu relacionamento com Deus se desgastava. "Deus, se o Senhor não vai fazer Sua parte... como pode esperar que eu faça a minha?" Dizeres cristãos como *"Deus o carrega como um pai carrega o filho"*, *"Ele está lutando essa batalha por você"* e *"Ele está agindo para o seu bem mesmo em meio ao caos"* começaram a soar como meras mensagens inspiradoras em cartazes nas paredes de igrejas, temas de sermões ou memes do Instagram, mas não como promessas concretas para aliviar um sofrimento concreto.

Todas as orações que costumavam preencher páginas e mais páginas do meu diário foram reduzidas a uma única pergunta: *Por quê?*

Canções de louvor que eu costumava cantar com enorme segurança e as mãos erguidas se transformaram em meros murmúrios. Eu mal conseguia pronunciar as palavras.

A palavra *esperança* sempre foi uma das minhas perspectivas espirituais favoritas. Gostava tanto da palavra que, assim que minha primeira filha nasceu, decidi que ela se chamaria Hope, "esperança" em inglês. Adoro o que essa palavra representa. Eu adoro saber que a esperança nos ajuda a resistir a tantas adversidades.

No dicionário, a definição de *esperança* é: *"Sentimento de quem vê como possível a realização daquilo que deseja; confiança em coisa boa; fé"*[8]. Mas você já ouviu alguém dizer que só está tentando "manter a esperança viva"? Nesse caso, é mais fácil imaginar a esperança na UTI de um hospital do que como uma promessa esperando para ser cumprida. Quanto mais sentia que a esperança era um risco em vez de uma confirmação, mais temia a palavra em vez de ser reconfortada por ela.

Dizer que eu tinha esperança era como arriscar algo em nome de Deus e nós dois poderíamos sair desprestigiados. Eu não ousaria dizer isso em voz alta. Mas, quando você está vivendo uma história que não faz sentido algum aos nossos olhos humanos, o medo parece ser o sentimento mais racional e "ter esperança" implica sofrer ainda mais a cada momento que passa sem mudança alguma.

Eu não queria mais ter esperança de que a minha situação com Art se resolveria. E, quanto mais perdia a esperança, mais resistia ao perdão. Pode ser porque achava que perdoar era o mesmo que seguir em frente. Mas como seguir em frente quando você está tão perdido que não sabe em qual direção seguir? *Devo seguir em direção ao perdão e a uma cura que resultarão em continuarmos juntos? Ou devo seguir em direção ao perdão e à cura sem Art? Por que Deus não me dá a resposta? Por que Deus não impede essa situação descontrolada? De que adianta ter esperança?*

Mas dizer que eu estava perdendo a esperança era como dizer que eu não tinha fé. Era um cabo de guerra impossível de vencer e era melhor dizer: "Nada a declarar". Ou, melhor ainda, evitar conversas nas quais alguém com certeza faria perguntas.

Convites de pessoas gentis e generosas, que só queriam minha companhia, me pareciam uma grande ameaça. Eu tinha medo de dizer algo que não condiz com quem sou, ou pelo menos com quem já fui.

É estranho, mas nem sempre consigo saber exatamente o que estou sentindo. Sei dizer se estou mais animada ou menos animada, mas é difícil dizer exatamente o que estou sentindo. E, mesmo quando consigo definir, de todas as emoções disponíveis, qual delas estou sentindo, não é fácil saber a causa. Mas, naquela situação, todos os meus sentimentos me *puxavam para baixo* e tudo tinha uma relação direta com Art. Parecia que a minha vida era um carro descontrolado, amarrado a escolhas que o puxavam para um abismo do qual poucos retornam. E lá estava eu, correndo ao lado do desastre iminente, tentando ter esperança, orando, me agarrando à vida que tanto amava mas que passava correndo por mim e me arrastava pelo asfalto, ensanguentada e machucada.

Tudo doía. Tudo parecia impossível.

Até as decisões mais corriqueiras pareciam complicadas demais. O que vestir e o que comer pareciam decisões ao mesmo tempo triviais e exaustivas. Passei a ignorar mensagens de texto, e-mails e telefonemas e parei de ir até aos lugares mais banais, como supermercados ou farmácias, a menos que fosse absolutamente necessário. Eu tinha tanto medo de encontrar algum conhecido que quisesse falar comigo que, muitas vezes, desistia no meio das compras e saía sem comprar o que precisava.

Estava totalmente perdida dentro da minha própria vida. Eu podia estar desesperada para chegar logo em casa e passar direto pela minha casa sem registrar em qual garagem devia ter entrado, acho que vale a pena notar que moro na mesma casa e na mesma rua há mais de 27 anos.

Deus podia ver isso tudo. Deus podia ver que eu estava sofrendo, desiludida, absolutamente confusa e precisando desesperadamente de ajuda. Eu acreditava cegamente n'Ele, mas isso acabou fazendo parte do problema. Como Ele já tinha feito verdadeiros milagres na minha vida, eu tinha grandes evidências de que podia contar com Ele.

Mas por que Ele parecia não ouvir a todos os pedidos que eu estava fazendo em relação ao meu casamento?

Era ainda mais enlouquecedor porque achava que já tinha feito de tudo para criar as condições certas para a intervenção de Deus. Por exemplo, em um sábado pela manhã, Art concordou em ir comigo a um grupo de oração. Fiquei chocada quando ele aceitou o convite e senti uma nova onda de esperança no meu coração. Consigo rever tudo na minha mente, tão claro como se aquele dia inteiro estivesse sendo reproduzido em um tela de cinema. Quando uma memória é ligada a fortes emoções, eu me lembro dos detalhes mais estranhos.

Lembro-me da textura do tecido cinza dos bancos do santuário.

Lembro-me de Art levantando as mãos em adoração. Eu chorei. Simplesmente sabia que a mão de Deus estava ali. O pastor fez um breve sermão e nos instruiu a nos levantar e pegar alguns cartões para orar pelos outros e por situações da nossa própria vida. Uma música suave e orações sussurradas encheram o ambiente e a maioria das pessoas caminhava enquanto orava. Alguns ficaram sentados. Outros oraram em pequenos grupos.

Fiquei sem saber o que fazer, na esperança de que Art fosse querer orar comigo. Mas, depois de vários minutos esperando que ele tomasse a iniciativa, decidi me levantar e pagar o cartão. Cartões de oração tinham sido colocados na beirada do palco. Quando me aproximei para pegar um cartão, vi que ele tinha sido escrito com tinta vermelha. Quem escreveu o cartão foi um homem que estava na prisão e ele pedia que alguém orasse por seu filho, o segundo cartão que peguei era de outro homem que estava naquela mesma prisão e o meu terceiro cartão também. À primeira vista, podia dizer que não tinha nada em comum com aqueles homens atrás das grades, mas sabia exatamente como era viver aprisionada e incapaz de escapar.

Voltei pelo corredor e dei a volta, orando, mas também procurando por Art. Ele estava orando? Ele estava chorando? Será que Deus estava movendo seu coração, fazendo-o mudar de ideia, finalmente atendendo as minhas orações?

Não dava para ver. De repente, achei estranho ficar olhando, talvez eu não devesse tentar ver o milagre acontecer. Olhei para baixo e prometi que deixaria Deus agir. Eu tinha certeza de que aquele seria o dia em que tudo mudaria. "Por favor, Deus, faça acontecer."

A sessão foi encerrada com uma bela oração coletiva e uma canção de louvor. Vi as pessoas se enfileirando para sair da igreja e sei que nem todas estavam sorrindo e rindo, mas pontadas de inveja me apunhalaram. Elas estavam voltando à vida normal, uma vida que eu costumava ter. Tudo bem que a minha vida antes não era perfeita, mas era muito mais previsível do que traumática. Não precisei fazer nenhuma pergunta a Art para saber que o milagre não tinha acontecido. Dava para sentir isso.

Fomos tomar café da manhã e eu mal consegui engolir parte dos ovos mexidos. Uma força invisível apertava minha garganta com tanta tensão emocional que eu sabia que, se a barragem que estava contendo minhas lágrimas cedesse, eu poderia chorar para sempre. Naquela noite, estava em posição fetal, e uma das minhas melhores amigas estava lá me dizendo para respirar.

Na minha cabeça, eu disse a Deus, sem meias palavras, que não conseguia mais acreditar em algo tão impossível.

Eu contava com Ele para me ajudar a sobreviver, mas seria possível trazer à vida algo que estava tão morto? Eu estava cansada e traumatizada demais pelo que não conseguia mais ver para ter esperança em qualquer coisa além do óbvio.

Eu só ficava pensando que o mínimo que Deus poderia fazer era me dizer em que direção apontar minha esperança, ou seja, se eu e Art encontraríamos a cura juntos ou se eu precisava seguir em frente sem Art. Essas duas versões da cura pareciam muito diferentes. Essas duas histórias de perdão pareciam muito diferentes. Não sei como dizer isso, mas acho que preciso dizer. Eu achava que estava me empenhando tanto para cultivar o perdão e a esperança no meu coração que quase cheguei à conclusão de que seria mais fácil deixar a amargura tomar meu coração. Eu não estava colhendo as recompensas do perdão como esperava.

Essa desilusão pode levar a conclusões equivocadas sobre Deus quando nossas circunstâncias não mudam como achamos que deveriam. No meu último livro, *Não era para ser assim*, contei sobre uma situação na qual a dor física me levou a perguntar como um Deus bom podia me ver sofrendo tanto e não fazer nada a respeito. Mas, quando a dor foi finalmente diagnosticada e corrigida com uma cirurgia, aprendi que Deus nos ama demais para responder às nossas orações em qualquer momento que não seja o momento certo.

Eu ainda preciso me forçar a me lembrar dessa lição.

Mas o que fazer quando a dor é emocional e, aparentemente, interminável? Quem pode nos ajudar a processar esse tipo de sentimento? E o que fazer quando você sabe que precisa d'Ele, mas parece arriscado demais confiar n'Ele?

Não são só os seus sentimentos em relação a Ele que parecem estar abalados. Será que suas orações sem resposta para acabar com essa dor interminável não dizem alguma coisa sobre o que Deus sente por você?

Em 2015, o *New York Times* publicou um artigo intitulado "Em busca de Deus no Google"[8]. No artigo, o autor Seth Stephens-Davidowitz começa dizendo: "Tem sido uma década difícil para Deus, pelo menos até agora". Ele questiona: "Quais perguntas as pessoas mais fazem quando pensam em Deus?" A pergunta número um foi: "Quem criou Deus?" A segunda foi: "Por que Deus permite o sofrimento?" Mas foi a terceira pergunta que pegou pesado em meu coração e me fez perceber a dor que muitos de nós sentimos ao passar por situações devastadoras: "Por que Deus me odeia?"

Não sou a única a me perguntar sobre os sentimentos de Deus quando me sinto traída pelas circunstâncias. Nunca teria usado a palavra *ódio*, mas ver essa palavra em uma das perguntas mais comuns sobre Deus mostra até que ponto podemos nos perder. A crise espiritual mais devastadora não é quando nos perguntamos por que Deus não está fazendo nada. É quando nos convencemos de que Ele não se importa mais. E é isso que vejo por trás dessa pergunta no Google.

Estremeço ao dizer isso, mas acho que é o que se escondia por trás da minha própria desilusão também. O que faz a fé desmoronar não é a dúvida. É ter certeza demais das coisas erradas. Coisas como: "Não faz diferença perdoar", "Não vale a pena", "Não é hora para esse tipo de obediência", "Deus não está fazendo nada" e "O que vejo é a prova definitiva de que Deus não está fazendo nada".

É quando começo a duvidar do amor de Deus, da providência de Deus, da proteção de Deus, das instruções de Deus e da fidelidade de Deus. E, principalmente, quando começo a temer que na verdade Ele não tem plano algum e eu serei uma vítima de circunstâncias absolutamente incontroláveis.

O problema de pensar assim é que, mesmo se essas ideias se alinham com toda dor e confusão da minha vida no momento, elas não se alinham com a verdade. E antes de tudo dar errado na minha vida, eu já tinha decidido que sempre retornaria à Palavra de Deus não importa o que acontecesse.

> *O que faz a fé desmoronar não é a dúvida. É ter certeza demais das coisas erradas.*

Eu podia resistir a isso. Eu podia fugir disso. Eu podia, com amarga resignação, colocar minha Bíblia na estante e deixá-la acumulando poeira durante anos. Mas não podia escapar do que já tinha criado raízes profundas no meu coração. No fundo sabia que o que estava vendo não era tudo o que estava acontecendo. Situações do passado em que vi a fidelidade de Deus me lembram de que nem sempre vejo a obra de Deus em meio às dificuldades.

Em algumas ocasiões da minha vida vi obras tão drásticas e rápidas de Deus que cheguei a dizer: "Caramba, dá para ver o que Deus está fazendo!" Mas, na maioria das vezes, são milhares de pequenas mudanças, tão sutis que não conseguimos ver Seu trabalho em tempo real.

Olhando para trás agora, para todos os anos que passei achando que nada estava acontecendo com Art, vejo que um milagre muito lento estava ocorrendo. Deus estava intervindo, tecendo e atuando, mas meus olhos humanos não foram capazes de ver.

Em um domingo, depois de dois anos de batalha, acordei cedo. Trovejava tão forte que a casa estremecia. A solidão era quase insuportável. Chovia a cântaros. Olhei pela janela. Eu não tinha energia para lutar contra toda a resistência – a chuva, a desilusão, entrar na igreja sozinha sentindo as perguntas das pessoas pairando ao meu redor tão pesadas quanto as nuvens cinzentas no céu.

Mas, ao pensar no que eu ganharia ficando sozinha em casa em vez de ir à igreja, soube que precisaria enfrentar a tempestade para ir aonde pudesse ser lembrada de que Deus é fiel. Quando "Deus me ama" soa mais como uma dolorosa pergunta do que um fato reconfortante, aprendi que devo ir aonde posso ser lembrada de que minha história não se resume ao dia de hoje. O hoje faz parte da história, mas não é a história toda.

Aquele dia tempestuoso era perfeito para ficar em casa. Contudo também era um domingo, perfeito para ir aonde eu pudesse ser lembrada da fidelidade de Deus.

Era as duas coisas.

Foi assim que escolhi ver aquele dia, o que decidiu não só o que fiz, mas ainda mais importante, o que vi. Eu poderia ter ficado trancada em casa vendo a tempestade, ou eu poderia ouvir a verdade de Deus em um santuário. As duas realidades eram possíveis naquele dia. Mas escolhi dar mais atenção à realidade que determinaria minha perspectiva naquele dia.

Era escolha minha.

Ao mesmo tempo refletia minha visão de Deus estar ou não respondendo às minhas orações.

Eu poderia olhar para tudo o que Deus não estava fazendo e concluir que Ele não é fiel.

Ou poderia optar por concluir que Ele é fiel e que, se Ele está permitindo o que estou vendo, isso deve fazer parte de um plano muito maior.

Sei muito bem que aquilo que você vê pode não ter nada a ver com o que você achava que seria a resposta para as suas preces. Uma amiga minha está com a filha na UTI, outra amiga acabou de se divorciar e outra está com uma ansiedade tão intensa que não consegue sair de casa.

Não sei como qualquer uma dessas situações pode ser correta, justa ou boa. Fico tão triste com isso tudo, tão desiludida com o sofrimento delas que devo admitir que ver essas coisas acontecendo alimenta as minhas dúvidas. Gostaria muito de dizer que alimenta a minha fé, que meus músculos espirituais se flexionam com força e um grito de guerra confiante explode em meu interior: "Tenho certeza de que Deus vai curar sua filha!", "Não tenho dúvida de que Deus fará seu marido terminar com a amante e ele vai voltar para casa melhor do que nunca!", "Eu exijo, em nome de Jesus, que você se liberte de sua ansiedade e que sua paz e alegria sejam restauradas!"

Já vi Deus fazer tudo isso antes, mas também vi muitas circunstâncias nas quais a pessoa não sai do coma. O marido nunca mais volta para casa. E a doença não é curada.

E, em vez de um grito de guerra destemido e cheio de fé, posso ficar em posição fetal na minha cama gritando com todas as forças no travesseiro.

Em situações como essas, parece que estamos esperando que Deus entre em ação, como se houvesse uma espécie de fila para sermos atendidos por Ele. Pode ser frustrante ficar esperando um técnico chegar quando preciso de um serviço, mas pelo menos a empresa tem algum sistema para me dizer quanto tempo vai levar. Quando sei que a ajuda vai chegar em 30 minutos, 20 minutos, nos próximos 5 minutos, eu aguento. Com Deus, tudo parece misterioso no começo e depois até cruel quando muito tempo passa e as coisas podem até piorar em vez de melhorar.

Mas Deus não está alheio ao que acontece e você não precisa esperar na fila para Ele ficar sabendo do problema. Eu não sei o que Ele está fazendo. E não sei como e quando começaremos a ver Suas ações. Mas sei que Seu silêncio não é prova de Sua ausência. E minha percepção distorcida não é prova de que Ele quebrou a promessa.

Se você tivesse me perguntado como estava naquele dia, fitando a tempestade, teria dito algo como: "Estou desesperada para que Deus se mostre fiel e faça o que só Ele pode fazer a estas alturas. Estou neste lugar vago e indefinido, entre duas coisas. Não aguento mais esperar e minha esperança está se esgotando".

E, escondida por trás de toda aquela exaustão, estava uma menininha presa em um pântano de pesar, vendo Deus mais com base em sua dor do que nas experiências positivas que ela já teve de que Deus estava em sua vida. Se, mergulhados no poço de nossa dor profunda, tentarmos tirar conclusões, só teremos a mágoa de hoje para beber. Se, no entanto, extrairmos força do poço profundo das promessas de Deus para o amanhã e de Sua fidelidade a nós no passado, Sua água vivificante será a bondade que infiltrará vida em nossa alma ressecada e exaurida.

Em vez de tirar conclusões hoje, pense em pelo menos uma situação na qual você pode ver evidências de Sua fidelidade. E, se o pesar o impedir de olhar para trás, pense no fato de Deus ter colocado este livro nas suas mãos hoje para ser uma tábua de salvação para sua esperança. E, se você estiver com medo de ter esperança nas promessas de Deus, gostaria de lembrá-lo de uma palavra. *Ressurreição*. Tenha paciência que você já vai entender.

A definição do dicionário para o termo *esperança* não é a única definição de esperança. Esperança é o eco da eternidade nos garantindo que a ressurreição nos aguarda. E fé é acreditar que, quer a vejamos na terra ou no céu, Deus fará o mundo voltar à descrição de Seu projeto original: "Ficou muito bom". A perfeição do Éden ainda pode ser encontrada no processo do retorno.

Nas palavras de meu orientador espiritual Jim Cress: "A esperança é a melodia do futuro. Ter fé é dançar agora ao som dessa melodia".

Não é uma imagem linda? Eu acredito, sem sombra de dúvida, que a esperança é a melodia do bem que está por vir. Eu acredito, sem sombra de dúvida, que a fé está dançando com essa melodia neste exato momento. E eu acredito, sem sombra de dúvida, que é pelo perdão, mesmo em meio a todas as incógnitas, que nos mantemos em sintonia com a batida do coração de Deus. Quanto mais perdoamos, mais podemos saber que estamos em sintonia com Deus, não importa a direção de nossa vida.

Acho que era isso que me faltava quando eu acreditava que só poderia perdoar quando soubesse se precisava me curar longe de Art ou para voltarmos a ficar juntos. De um jeito ou de outro, o perdão sempre cura na direção certa. Mesmo se não souber se deve virar à esquerda ou à direita, você vai encontrar a verdadeira esperança quando levantar os olhos para Deus. É em Deus que a recompensa do perdão é a mais gratificante de todas. É lá que nossa história se alinha com Sua ressurreição.

Eu adorava cantar uma música que foi lançada pela minha igreja no mesmo ano em que tudo desmoronou. A letra dizia: "O Rei ressuscitado está me ressuscitando". Eu adorava o senso de confirmação que aquelas palavras me davam e desejava que aquele fosse o hino da minha situação. Mas, quando tudo era muito mais parecido com a morte do que com a vida ressuscitada, me pegava cantando aquela música mais como um sussurro de medo e lágrimas do que uma afirmação confiante.

Acho que Jesus sabia que era isso que Seus discípulos sentiriam quando toda a esperança de um futuro melhor seria pendurada na cruz e sepultada em uma tumba. Em meus próprios momentos de desilusão, costumo me esquecer de ler as palavras que Jesus disse a seus discípulos pouco antes de morrer, mas são palavras que dizem muito.

> *Digo que certamente vocês chorarão e se lamentarão, mas o mundo se alegrará. Vocês se entristecerão, mas a tristeza de vocês se transformará em alegria. A mulher que está dando à luz sente dores, porque*

chegou a sua hora; mas, quando o bebê nasce, ela esquece a angústia, por causa da alegria de ter vindo ao mundo. Assim acontece com vocês: agora é hora de tristeza para vocês, mas eu os verei outra vez, e vocês se alegrarão, e ninguém tirará essa alegria de vocês. (João 16:20-22)

Ele não prometeu remover a dor dos discípulos e substituí-la por alegria. Ele prometeu que a dor se transformaria em alegria. A dor produziria a alegria e faria parte da jornada, mas não seria em dor que tudo terminaria.

Os discípulos haviam orado por alguém que os libertasse da opressão do governo romano. Eles receberam um servo que lavou seus pés. Eles queriam um governante e receberam um professor. Eles queriam um rei justiceiro e receberam um curador benevolente. A resposta que receberam nunca foi a que eles achavam que seria, pois achavam que estavam em uma jornada para Jesus assumir o trono, mas em vez disso Ele aceitou Sua cruz.

Eles achavam que Deus os salvaria. E Ele os salvou.

Os discípulos ficaram profundamente tristes... até que ficaram absolutamente maravilhados.

Como Jesus disse que aconteceria, a tristeza deles se transformou em alegria. Charles Spurgeon disse algo incrível sobre os escritos dos apóstolos após a ressurreição de Jesus:

> *É absolutamente notável e instrutivo que, em seus sermões ou epístolas, os apóstolos nunca tenham falado da morte de nosso Senhor com qualquer tipo de pesar. Os evangelhos mencionam como eles ficaram aflitos durante a crucificação, mas, após a ressurreição, e especialmente após o Pentecostes, essa aflição deixa de ser mencionada.*[7]

Sem falar que parte do roteiro da eventual ressureição estava o "perdão". Umas das últimas palavras registradas de Jesus foram: *"Pai, perdoa-lhes, pois não sabem o que estão fazendo"* (Lucas

23:34). Em seguida, Sua morte pagou a dívida do pecado que jamais poderíamos pagar sozinhos. Sua morte selou nosso perdão por toda a eternidade e apontou para a promessa da ressurreição de prover nova vida, redenção perfeita e segurança eterna definitivamente.

A recompensa pelo perdão é enorme. Nunca devemos duvidar que dar e receber perdão vale a pena e é muito bom, não importa quais sejam as nossas circunstâncias.

E se só vemos as coisas com base no que consideramos ser bom? Do nosso ponto de vista, o que pedimos a Deus pode fazer muito sentido. Achamos que, se Ele fizer exatamente o que queremos, tudo vai ficar bem.

Mas e se o nosso pedido, mesmo parecendo completamente racional e razoável, não for o que achamos que é? Sim, da perspectiva terrena, ele pode fazer muito sentido. Mas e se Deus enxergar coisas que não podemos enxergar? E se, de Sua perspectiva completa, eterna e perfeita, Ele souber que o que estamos pedindo está longe do ideal?

E se minha visão das coisas for distorcida e imprecisa?

Podemos concluir este capítulo aqui. Fique com essa pergunta e mergulhe nela suas emoções. Deixe que ela entreabra a porta para você acreditar que a decisão de perdoar pode ser a melhor decisão a tomar.

E se...

o silêncio
de Deus é
prova de Sua
ausêndia.

CAPÍTULO 11

PERDOANDO A DEUS

NÃO É FÁCIL SER MAGOADO PELOS OUTROS, e pode ser insuportável ser magoado pelo que Deus permite. Apesar de poder expressar minha desilusão em termos de por que ou como, quando pouso minha cabeça no travesseiro encharcado de lágrimas, as perguntas podem se transformar em sentimentos amargos. Posso não querer levantar a mão nos estudos bíblicos e admitir que estou tendo uma enorme dificuldade de perdoar a Deus, mas sei que tenho minhas dúvidas. Estou muito magoada e você também pode estar. Era assim que estava me sentindo na semana passada.

Realmente achava que Deus me daria um tempo antes do próximo baque.

Nossa família é grande e sempre tem alguém envolvido na vida do outro, de maneira que sempre tem alguma coisa acontecendo. Normalmente, consigo lidar com todas as personalidades e diferentes formas de pensar. Mas, na semana passada, uma situação acabou me afetando mais do que o normal. Alguns parentes queriam investir em um novo negócio. Todo mundo parecia ter topado a proposta, menos eu.

Como já disse, levo um tempo para saber exatamente o que estou sentindo. E, mesmo sem saber exatamente o que era, eu sabia que a situação estava me causando um medo enorme. Na minha cabeça, aquilo só poderia dar em desastre. Não era uma questão de vida ou morte, mas, sempre que meus parentes falavam sobre o assunto, me sentia ameaçada porque todos presumiam que eu aceitaria investir também.

Eu tinha certeza de que Deus daria um jeito e não deixaria a coisa ir adiante.

Eu rezei. Apresentei uma robusta argumentação a Deus e a meus parentes. E estava certa de que a situação não seria levada adiante. Desde o começo nunca achei que o investimento era uma boa ideia. Falei das minhas preocupações e cheguei a fazer uma lista de todos os obstáculos intransponíveis que precisariam ser removidos para que aceitasse participar. Eu não tinha dúvida de que Deus impediria a situação de avançar ou as complicações a impossibilitariam. De qualquer maneira, sabia que daria tudo certo.

Mas, em vez de Deus fechar as portas, todas as portas estavam sendo abertas, uma após a outra. Era como um milagre ao contrário. Em vez de Deus impedir a situação, parecia que Ele estava agindo para a coisa acontecer. E, conforme minha família ia se empolgando, eu ia me fechando. Fiz de tudo para ver o lado bom do que estava acontecendo e também lembrei que meus parentes são empresários experientes. Tentei lembrar que o medo não quer dizer que uma desgraça está prestes a acontecer.

Por mais que tentasse torcer para a coisa dar certo, não conseguia evitar a sensação de que a história acabaria em desastre. *Às vezes, os piores cenários realmente acontecem. Meus problemas no casamento já não deixaram isso claro? Por que vocês não me ouvem?*

Fiquei incrivelmente ansiosa. Depois fui ficando cada vez mais irritada, mal-humorada e inquieta conforme os obstáculos iam sendo removidos e os planos começavam a ser executados.

Eu não só quis me afastar da minha família como também quis ficar mais quietinha com Deus. Só conseguia ver todo o potencial caótico. Gostaria de poder dizer que encarei a situação com maturidade, buscando um diálogo tranquilo para esclarecer as ideias e um território em comum com todos, mas não foi o que aconteceu.

Fiz cara feia e alguns comentários que não deixavam dúvidas sobre meu posicionamento.

Achava que ninguém estava me dando ouvidos.

Chorei para chamar a atenção e bati armários e portas com força. Podia sentir a amargura se acumulando, enquanto planejava todos os discursos do tipo "eu avisei" quando a empreitada se revelasse um fracasso.

Abri meu diário e escrevi a palavra confusa.

E quase imediatamente uma frase passou pela minha cabeça: *Este investimento é uma oração atendida.*

Como assim?!

Não era possível que aquilo fazia parte da resposta de Deus para as minhas preces. Recusei-me a admitir que fosse verdade, contudo, a ideia já tinha sido plantada.

A partir de então, sempre que alguém mencionava o investimento, eu ouvia a mesma frase: *Isso é uma oração atendida.*

Já faz mais de uma semana que venho refletindo sobre essa ideia.

Meu mundo virou de cabeça para baixo. Em geral no bom sentido, mas também cutucou um ponto sensível para mim: confiar em Deus mesmo sem entender o que Ele está fazendo. O que Ele está permitindo. Não consigo ver com meus olhos ou racionalizar com meu cérebro para entender como essa situação pode ser uma oração atendida por Deus. Mas talvez seja esse o ponto. Talvez seja hora de começar a reconstruir minha confiança em Deus.

Não é que Deus tenha feito algo de errado e traído minha confiança. É que Deus não fez o que eu esperava que fizesse ou fez algo que não entendo, e fica mais difícil para mim confiar n'Ele. Às vezes, quando você acha que alguém traiu sua confiança, pode ficar se perguntando se mais alguém na sua vida está escondendo alguma coisa. Até o menor ceticismo pode se transformar rapidamente em uma suspeita que contagia todos os seus relacionamentos, incluindo o com Deus.

Este pode ser o trecho da minha jornada de cura onde pego a pergunta "e se eu estiver vendo a situação do jeito errado?" com a qual fechamos o capítulo anterior e tento aplicá-la à minha situação.

Já faz sete dias que tenho orado: "Deus, ajude-me a ver o que está diante de mim como minha oração atendida". Devo admitir que meu cérebro continua resistindo à ideia. Mas, ao estudar o que a Palavra de Deus nos ensina sobre a maneira como Ele nos provê e por que posso interpretar mal o que vejo, fiquei pasma, no bom sentido, mas é algo bom demais para não compartilhar com você.

Considerando que a confiança nos relacionamentos se baseia em parte na boa comunicação, minha confiança em Deus deve sair fortalecida se aprender a orar melhor. Oro desde que me conheço por gente. No entanto, raramente pensei em olhar para a minha vida e ver o dia de hoje, este momento, este período da minha vida, como a oração atendida.

Quando penso nos pedidos que fiz em oração, penso no que "espero" que Deus faça... não no que "foi feito" hoje.

Deixo de ver o que estou vivendo atualmente como uma resposta às minhas orações porque, muitas vezes, ou até sempre, a resposta é diferente do que achei que seria. As respostas de Deus são diferentes da imagem clara que eu tinha na cabeça.

E a incógnita e a incerteza complicam minha prática de oração.

Às vezes, vejo minhas orações como pedidos esperançosos que aquecem meu coração, mas no fundo sei que têm poucas chances de acontecer. Como jogar uma moeda em uma fonte ou fazer um pedido antes de apagar as velas do bolo de aniversário. Continuo fazendo essas coisas, mas espero muito pouco.

Ou vejo as orações como pedidos do iFood. Quero que o entregador chegue em tempo recorde trazendo exatamente o que eu pedi. A resposta será entregue imediatamente na minha casa e me sentirei perto de Deus porque Ele fez exatamente o que eu queria! Mas não faria sentido uma oração funcionar de um jeito tão humano e previsível. Nesse caso, minhas orações não passariam de pedidos, as respostas não passariam de produtos e o remetente não passaria de uma entidade distante na qual só penso quando preciso de alguma coisa.

Com as orações, esperava muito pouco de Deus e muito de mim mesma. Esperava que um Deus infinito reduzisse Suas vastas maneiras de fazer as coisas para limitar-se a fazer apenas o que sou capaz de pensar e pedir.

Quero mudar isso. Quero levar a Deus minhas necessidades, meus desejos, meus anseios desesperados e reconhecer que tudo o que Ele coloca diante de mim é Seu pão de cada dia. Sim, as pessoas podem criar um caos que não vem de Deus. E sim, os infortúnios deste mundo podem trazer infortúnios à minha realidade. Mas, em meio a tudo isso, Deus sempre provê! É a provisão de Deus que devo procurar e optar por ver.

Quando Jesus nos ensinou a orar todos os dias, Seu primeiro pedido foi pelo pão de cada dia. Todavia, não é verdade que o pão assume muitas formas diferentes na Bíblia? Ele pode ser um pão feito no forno (Levítico 2:4), pode ser o maná caído do céu (Deuteronômio 8:3) ou, o melhor de tudo, como Jesus se declarou: o pão da vida (João 6:35).

Mas se Sua provisão não tiver a forma que esperamos, podemos não reconhecer Seu pão diante de nós. Como 1 Coríntios aponta: *"Agora, pois, vemos apenas um reflexo obscuro, como em espelho; mas, então, veremos face a face. Agora conheço em parte; então, conhecerei plenamente, da mesma forma com que sou plenamente conhecido"*. (13:12, grifo meu).

Só Deus consegue ver o que está faltando em nossa vida quando pedimos Sua provisão. Sentimos a pontada de uma necessidade e preenchemos a lacuna do que achamos que precisamos, mas as nossas vidas são como peças de um quebra-cabeça. Estamos montando o quebra-cabeça aos poucos, peça por peça, e mesmo quando ligamos alguns pontos e vemos como as coisas se encaixam ainda não temos condições de ver a imagem toda. Por isso, não temos como saber exatamente o que está faltando.

Deus vê tudo com toda clareza. Ele nunca fica incerto, temeroso ou intimidado com as lacunas. Ele deixa que faltem peças para não termos de fazer tudo sozinhos. É aqui que entra Sua provisão. Ele sempre vê a forma das peças que faltam e nos dá uma porção de Si mesmo, que pode ter a aparência de um pão, do maná, mas, principalmente, de Jesus.

Todos os três são a provisão perfeita de Deus. Mas, com nossos olhos humanos, tendemos a achar que só o pão é adequado, o que seria uma tragédia. Podemos chorar porque nada se parece com pão apesar de estarmos rodeados de maná ou, melhor ainda, do próprio Jesus.

Posso querer – ou até esperar – que Deus me dê pão, mas, se o que eu receber d'Ele for diferente do que acho que deveria, posso questionar Seu amor ou, talvez, até me ressentir Dele por não atender as minhas preces. Quero que Sua provisão seja exatamente como acho que deveria ser. Mas o pão é a menos milagrosa de todas as formas de pão, pois é o tipo de provisão que temos de trabalhar para receber do solo. Colhemos o trigo, o moemos, sovamos a massa e a assamos, tudo com nossas próprias mãos. Mas acho que para mim esse é o maior apelo do pão. Já que estou trabalhando por ele, tenho um senso de controle.

O maná, por outro lado, representa o que Deus simplesmente nos dá. O maná que caiu do céu para os filhos de Israel foi o sustento perfeito de Deus para eles viverem no deserto. O maná era mais parecido com pequenas sementes ou flocos do que com pães. Mas ele veio diretamente de Deus, dia após dia, não da natureza, e sustentou mais de dois milhões de israelitas no deserto por 40 anos. Foi um milagre. E, mesmo no caso do maná, as pessoas não podiam ficar passivas, pois elas precisavam sair de suas tendas para pegá-lo. Elas não o cultivaram, mas podiam contar que o receberiam com regularidade. Portanto, o controle e a regularidade me dão a sensação de que confio em Deus quando, na realidade, estou contando com Ele só na medida em que Ele provê minhas necessidades com clareza.

E não podemos esquecer o melhor tipo de pão, que é o pão da vida: *o próprio Jesus*. Não é uma provisão pela qual trabalhamos nem uma provisão que simplesmente pegamos, mas é a provisão em Cristo depositada dentro de nós que nos nutre e nos sustenta por inteiro, inclusive nossa alma. Jesus é a provisão mais milagrosa e a provisão que já nos foi dada, mas que muitos de nós não reconhecemos como sendo tudo o que precisamos. E a provisão com a qual temos mais dificuldade de contar porque Ele é a provisão que não podemos controlar, nem exigir que seja repetidamente entregue quando quisermos. Sei que é duro ler isso, mas é importante refletir a respeito.

Se já temos Jesus, já vivemos em orações atendidas e em perfeita provisão. A provisão que produz o bem, mesmo em meio a todas as coisas terríveis que vemos com nossos olhos físicos, está trabalhando ativamente por nós neste exato momento. Em 1 João 2: 1, Jesus é chamado de nosso intercessor, o que significa que Ele está à direita de Deus e intercede por nós (Romanos

8:34). Ele está conversando com o Pai sobre você neste exato momento de uma forma que, se você pudesse ouvi-l'O, você nunca mais temeria o que está diante de você. Você não questionaria Seu amor por você nem Sua bondade para com você. É por isso que não precisamos perdoar a Deus, mas sim confiar n'Ele.

Sei que você pode estar pensando: "Lysa, você não está entendendo. Estou vivendo uma realidade terrível e nada disso que você falou me faz querer confiar mais em Deus. Pelo contrário, me faz confiar menos n'Ele!" Entendo. Pensei nas amigas que mencionei no capítulo anterior. Uma delas está sentada ao lado da cama da filha no hospital, ouvindo notícias dilacerantes do médico. A outra vai dormir sozinha hoje porque seu ex-marido está com outra mulher. E a outra ainda está emocionalmente paralisada pela ansiedade. Posso imaginá-las me dizendo: "Só quero que minha filha seja curada, que meu marido volte para casa e que minha ansiedade desapareça. Só quero que meu pão tenha a aparência da provisão de Deus que eu espero".

Eu sei, querido amigo. Eu sei. É exatamente o que sinto em relação a algumas coisas que estão diante de mim neste exato momento. Coisas maiores do que o investimento da minha família. Coisas difíceis que ainda me fazem chorar.

Mas, se Deus não está nos dando Sua provisão da maneira que esperamos, devemos confiar que Ele sabe de algo que não sabemos. Poderemos ver isso com o tempo ou só depois da eternidade. Mas, até isso acontecer, podemos saber, com certeza, que a provisão que Ele nos dá é verdadeiramente Sua boa provisão, não importa se ela for boa para nós hoje ou fizer parte de um plano muito maior. Mesmo quando o que vemos diante de nós parecer confuso. Mesmo quando o que vemos diante de nós estiver longe do que achávamos que seria. Mesmo quando não achamos que isso seja bom. Não precisamos entender Deus para confiar n'Ele. C. S. Lewis criou uma bela imagem na qual gosto de pensar quando não consigo entender o que Deus está fazendo. Ele disse para imaginar que somos uma casa que Deus está reformando. Achamos que sabemos o que precisa ser feito – talvez alguns pequenos reparos aqui e ali –, mas Ele começa a derrubar paredes e ficamos confusos e sentindo a dor da destruição. Mas a visão d'Ele pode ser muito diferente da nossa. "Você achava que seria transformado em um belo e pequeno chalé, mas Deus está construindo um palácio onde Ele pretende morar".[8]

Nós vemos um chalé. Deus vê um palácio. Nós vemos destruição. Deus vê construção. Nós só vemos o que a mente humana é capaz de vislumbrar e Deus está construindo algo que não podemos sequer imaginar. Não é o que queríamos, mas é muito bom. E, no fim, o que mais importa pode não ser no que Deus está trabalhando, mas como Deus está trabalhando *em nós*.

A fidelidade de Deus não é demonstrada por Sua obra condizendo com as suas orações. É quando as suas orações condizem com Sua fidelidade e Sua vontade que você se torna cada vez mais seguro de Sua obra. Mesmo se, talvez até especialmente se, Sua obra e Suas respostas não sejam como você pensou que seriam.

Intitulei este capítulo "Perdoando a Deus" não porque Deus precisa ser perdoado. Mas, às vezes, quando estamos sofrendo muito, nosso coração pode começar a achar erroneamente que a culpa é de Deus. Quando achamos que pedimos a Deus algo que precisamos urgentemente, algo bom, correto e sagrado, como salvar um casamento ou a vida de uma pessoa amada ou impedir que algo terrível aconteça, e Deus não atende nosso pedido. Não diríamos que Ele pecou, mas podemos achar que Ele nos traiu, nos desiludiu ou nos perguntou se Deus se importa conosco.

Quando os males deste mundo nos assolam e tragédias terríveis partem nosso coração, é compreensível chorarmos, esmurrarmos o volante, gritarmos impropérios, nos sentirmos consumidos pela injustiça aparentemente interminável da situação e termos dificuldade de responder a todas as questões que afligem nossa alma pesarosa.

O problema é quando começamos a tirar conclusões disso. Porque, como vimos, nossa perspectiva, especialmente diante de uma situação difícil, é incompleta.

O que vemos atualmente não é tudo o que há para ver, pois as nossas formas de pensar e agir são imperfeitas. Se não podemos entender as formas de pensar e de agir de Deus quando estamos bem, é certo que não seremos capazes de entendê-las quando estivermos mal. O apóstolo Paulo foi muito direto em suas instruções de que devemos destruir argumentos e opiniões levantadas contra o conhecimento de Deus:

> *Pois, embora vivamos como homens, não lutamos segundo os padrões humanos. As armas com as quais lutamos não são humanas; ao contrário, são poderosas em Deus para destruir fortalezas. Destruímos argumentos e toda pretensão que se levanta contra o conhecimento de Deus e levamos cativo todo pensamento, para torná-lo obediente a Cristo. (2 Coríntios 10:3-5)*

Não importa o que estivermos vendo, quando um argumento ou opinião entra em nossa mente falando contra a bondade de Deus, não devemos acolhê-los, mas sim destruí-los antes que comecem a causar destruição em nós.

A instrução é muito mais importante do que eu imaginava. Fique muito atento.

Desde o início das Escrituras, o inimigo de nossa alma usa argumentos contra Deus para nos levar a duvidar de d'Ele e para corroer nossa confiança n'Ele. Com Eva, o inimigo usou a ideia arrogante de que, se abrisse os olhos para o bem e para o mal, ela seria mais semelhante a Deus porque "saberia" o que Deus sabe.

Que grande mentira. Ela conhecia um mundo livre do mal. E o inimigo a enganou para ela desejar o "conhecimento do bem e do mal".

No Gênesis, comer do fruto proibido não permitiu apenas o pecado no mundo. Adão e Eva trocaram sua perspectiva perfeita e eterna por uma perspectiva terrena e imperfeita.

Fique atento a essa lição: antes do pecado, Adão e Eva tinham uma perspectiva eterna, uma confiança perfeita em Deus porque viam tudo à luz do bom plano Dele e de Sua bondade absoluta. Mas, quando comeram da Árvore do Conhecimento do Bem e do Mal, eles trocaram sua perspectiva eterna por uma perspectiva terrena. E, quando receberam o conhecimento do bem e do mal, a confusão se instalou. O medo do desconhecido substituiu a segurança e a paz que eles tinham antes.

Eles notaram sua própria nudez e eles sentiram vergonha. E tentaram se cobrir e se esconder, mas uma das consequências de seu pecado foi que eles tiveram de deixar a perfeição do jardim do Éden. O Gênesis 3 termina em tragédia, com os dois deixando o jardim do Éden, e em Gênesis 4 eles têm dois filhos, sendo que um acaba matando o irmão.

Foi uma troca terrível. Eles renunciaram ao que hoje desejamos tanto – a clareza de ver tudo à luz da eternidade – pelo que agora nos causa tanta dificuldade – a confusão desiludida na terra.

Atualmente, vivemos com nossos olhos abertos para o bem e para o mal. O inimigo é um grande mentiroso, mas saber disso não ajudou a humanidade a entendê-lo mais. O pecado só nos faz pensar que o que vemos na terra é tudo o que há para saber. Só Deus vê tanto o reino terreno quanto o reino celestial da perspectiva eterna. E só Deus vê o quadro completo em tudo o que enfrentamos.

Do nosso ponto de vista aqui neste mundo, não podemos ver o panorama completo. Não podemos ver a história completa. Não podemos ver a cura completa. Não podemos ver a restauração completa. Não podemos ver a redenção completa. Só podemos ver a parte existente na terra.

Quando dizia que Deus não estava atendendo minhas orações, o que eu realmente estava dizendo é que Deus não estava fazendo o que eu queria que Ele fizesse. Sei que Deus está no controle. Mas, quanto menos entendo o que vejo, mais quero retomar o controle. Tentamos controlar o que não confiamos. Atualmente, acho que foi errado ter atribuído a Deus a dor que me foi causada pelas pessoas. Quando minha oração atendida ou não é a única evidência que uso para determinar o interesse ou a fidelidade de Deus, não é de admirar que acabe tão desiludida.

Não é de admirar que chore e pergunte por que, às vezes, me sinto tão traída.

As pessoas podem ter segundas intenções e motivações equivocadas. As pessoas podem mentir. As pessoas podem nem sempre buscar o bem de todos. Mas nada disso se aplica a Deus. Ele é bom. Só Ele pode fazer algo bom com a minha situação. Entregar tudo isso a Deus é o que minha alma foi feita para fazer. Acho que meu coração ferido e minha mente propensa ao medo só precisam de mais um tempo para entender isso.

Quando penso em tudo isso no contexto da situação que mencionei no início deste capítulo, começo a entender por que preciso ver o que está diante de mim como uma oração atendida de Deus. Não é que eu esteja convencida de que foi Deus que mandou a oportunidade de investimento. E certamente Deus não fez com que a filha da minha amiga se ferisse ou o marido da minha outra amiga a abandonasse ou a ansiedade da minha outra amiga fosse tão debilitante. Deus não causou essas situações, mas Ele está muito ciente delas. E Ele, com certeza, vê o quadro completo e tem um plano para pegar tudo isso e, de alguma forma, transformá-lo em algo bom.

Como já vimos, o contrário da fé não é a dúvida. O contrário da fé é ter certeza demais das coisas erradas. Gostaria de terminar este capítulo refletindo sobre como comecei a ver o que passei com Art. Você se lembra da história que contei no capítulo anterior? Sobre o grupo de oração? A igreja? A certeza absoluta que eu tinha de que Deus não estava fazendo nada por mim? Já passou tempo suficiente para eu conseguir ter uma visão mais ampla da situação.

Tinha certeza demais das percepções a seguir:

Quando não vi Art se emocionar no grupo de oração, tive certeza de que Deus não estava conseguindo tocá-lo.

Quando Art não reagiu às minhas emoções como achava que deveria, tive certeza de que ele não se importava mais comigo.

Quando Art fez todas as escolhas que partiram meu coração, tive certeza de que ele estava maravilhado com sua nova vida.

Tive certeza demais de muitas coisas erradas.

Deus estava agindo. Deus estava trabalhando. Art não estava curtindo a vida adoidado. Atualmente, ele se refere àquele período de sua vida como um pesadelo. Deus estava fazendo Seu melhor trabalho na esfera do invisível. E, dependendo da reação de Art, Deus me resgataria do casamento ou nos reconciliaria.

De qualquer maneira, todo dia foi a oração atendida de Deus. Foi raro ter recebido os pães que queria, mas eu estava vivendo um milagre que se desenrolou lentamente e simplesmente fui incapaz de ver.

Atualmente, sei que Deus não precisa ser perdoado. Ele não cometeu qualquer injustiça comigo. Ele não pecou.

Eu só achava que aquela situação difícil era o fim da história e deixei de ver algo importantíssimo. Algo que agora vejo. Nossa visão das coisas, da perspectiva terrena, é diferente da visão de Deus.

Apenas via o que tinha perdido, os danos, a mágoa, o sofrimento. Eu estava cega para o fato de que não sei nem vejo tudo, de que não sei o que realmente é melhor e o que não é. E, apesar de eu estar vivendo uma situação terrível, Deus estava comigo.

Ele estava me provendo todos os dias. Ele estava lá todos os dias. E, mesmo sem perceber, eu estava vivendo orações atendidas.

Agora vejo o que está diante de mim à luz do que conheço como ser a verdade sobre Deus. Isso é uma dádiva. Isso pode ser usado para o bem. De alguma forma, isso faz parte de uma história muito maior, e posso confiar que Ele também o transformará em uma bela história. Agora só tenho que continuar escolhendo procurar o belo.

Nós só vemos o que a mente humana é capaz de **vislumbrar**. Deus está construindo algo que não podemos sequer **imaginar**.

CAPÍTULO 12

O PAPEL

DA PERDA

A PERDA É UMA PROVA DE FOGO. Ela se imiscui nas profundezas de nosso amor, causando tanta dor que, muitas vezes, nem sabemos o que pensar de tanto desespero. Memórias tão claras como se estivessem acontecendo neste exato momento dançam diante de nós, nos mostrando em *replay* a beleza do que nossa vida foi um dia. Mas essas repetições nos fazem chorar. Ver o que um dia foi é tão cruel quanto é belo.

A perda de fato é uma prova de fogo.

Fui a um funeral hoje pela manhã. Fiquei muito mais emocionada do que esperava. Ela era jovem e faleceu de repente. Até agora meu coração se dilata e dói ao comprimir os ossos de um peito pequeno demais para comportar todo esse luto. Como o belo, generoso e encantador coração dela pôde parar de bater de repente? Como é que nunca mais vou falar com ela?

Fico profundamente triste sempre que alguém morre. Sei que a vida e a morte andam juntas. Mas pareço viver em negação até ser forçada a encarar a realidade. E, não importa se conhecemos ou não o falecido, sempre fazemos uma pausa diante da natureza chocante da perda.

A natureza sagrada do luto reverbera em nossa vida mesmo quando não tivemos a chance de conviver pessoalmente com o falecido. Podemos ficar de luto porque conhecemos a dor humana mesmo sem nos conhecermos.

E com esse ponto em comum podemos ter empatia com os que estão passando pelos primeiros efeitos devastadores do luto. As lágrimas dos que conheciam o falecido parecem gotejar em nossas próprias emoções. Nós nos unimos só de ouvir falar do falecimento, do luto e da celebração de uma vida que um dia foi. Sentimos sua falta porque sabemos o que é sentir falta de alguém. Mas e quando ficamos de luto não porque uma pessoa querida faleceu, mas porque fomos rejeitados por ela? Quando alguém simplesmente faz as malas porque não quer mais nos amar, a perda é agonizante. Não ficamos de luto só por sua ausência. Ficamos de luto pela total indiferença da pessoa pelo que sua escolha está fazendo conosco.

A perda, em qualquer uma de suas formas, dói. Todos nós conhecemos a dor da perda.

Todos nós perdemos pessoas que um dia abraçamos, com quem nos estreitamos e a quem demos uma parte de quem somos. E, não importa se elas se afastaram, se mudaram para outra cidade, se distanciaram, desapareceram ou faleceram, a distância criou uma sensação fantasma e, só pela força do hábito, tentamos recorrer a elas, mas elas não estão mais lá. Ligamos para elas, mas o número não existe mais. Passamos os dedos pelas fotos, mas não sentimos mais o calor de sua pele.

A perda das piadas internas, sussurros de madrugada, conflitos, caronas, churrascos e diferenças de opinião e todos os milhões de pequenas maneiras nas quais definimos "estar juntos". A história da nossa vida incluía nós dois. Mas agora não inclui mais.

Essa é a definição de perda.

A perda nos angustia. A perda nos reduz. A perda nos diminui.

Mas o que toda essa conversa de perda tem a ver com o perdão? Permitir-se sentir essa perda, esse luto, pode ser um bom remédio para a amargura.

Não leia a última frase rápido demais ou seu cérebro pode se enrolar com as palavras e ler: "Sentir esse luto pode ser a causa da amargura". Pode até ser verdade, mas é interessante lembrar que o caminho pelo qual você entrou em uma caverna escura é o mesmo caminho que você pode usar para encontrar a saída.

Tenha um pouco de paciência que prometo que chego lá. Porque, se a perda foi o caminho pelo qual a amargura entrou, revisitar o luto pode nos dar uma saída.

Sei que essa ideia pode causar estranheza, porque a perda e a dor resultante costumam ser a causa da amargura. Eu sei muito bem disso. Quando a causa de sua perda foi a tolice, o egoísmo, a maldade ou a irresponsabilidade de alguém, a tristeza pode rapidamente dar lugar a uma amargura que você nem sabia que era capaz de sentir. Mas, em vez de ser apenas um visitante, a amargura tenta ocupar todo o seu vazio sem a sua permissão. Você pode nem ter percebido ou reconhecido o sentimento na ocasião, porque no começo a amargura pode ter sido justificável e até estranhamente útil. Quando a tristeza nos entorpece, a amargura pelo menos nos permite sentir algo.

Mas, com o tempo, a amargura quer ser mais do que apenas algo que nos desperta um sentimento. Ela quer se tornar seu único sentimento. A amargura não só quer ficar com você como quer consumir tudo o que você tem e é.

E outra observação importante que deve ser feita sobre a amargura – talvez a mais importante de todas – é que ela normalmente não permite que você a chame de "amargura". Nos raros casos em que reconhecemos e confessamos as pontadas de amargura que podem transparecer sem sombra de dúvida, nos referimos à amargura como sendo uma mera generalização do ressentimento. Fazemos uma breve oração nas linhas de "Perdoe minha amargura" e seguimos em frente sem olhar para trás. Nunca chegamos a perceber que a amargura não se resolve rapidamente, porque não é um sentimento que se adquire rapidamente. Ela deve ser nomeada, aberta, explorada e acompanhada com franqueza.

Só depois de refletir longamente para descobrir onde a amargura reside dentro de si é que você tem condições de perceber que precisamos lidar com ela. Então, vamos começar pensando em onde a amargura se imiscui e suga sua energia vital e onde ela atua como obstáculos ao seu progresso.

A amargura se disfarça de outras emoções caóticas que são mais difíceis de atribuir à origem da mágoa.

Veja uma lista de como isso pode acontecer no dia a dia. Caso você se identifique com esses indicativos de amargura oculta, saiba que não estou criticando, nem tentando zombar de seu coração sensível. Proteja-se de expressões de derrotismo como: "Que bom. Mais uma coisa que estou fazendo errado. Já passei por todas essas situações difíceis e, ainda, tenho mais essa batalha para enfrentar. Mais um lembrete de que ainda tenho que melhorar muito". Não se esqueça de que esse trabalho todo vai valer a pena. A ideia é permanecermos saudáveis, autoconscientes e sinceros. Queremos garantir que nenhuma parcela da mágoa que nos foi infligida seja multiplicada por nós.

Veja se você não está incorporando alguns dos fatores a seguir em sua forma de pensar ou falar...

- Fazer suposições depreciativas.
- Fazer comentários ríspidos e ferinos.
- Alimentar um rancor que pesa cada vez mais em você.
- Nutrir o desejo de saber que a pessoa que o magoou está sofrendo.
- Achar injusto que os outros estejam felizes.

- Nutrir um ceticismo generalizado, achando que a maioria das pessoas não é confiável.
- Nutrir uma descrença em relação ao mundo em geral.
- Disfarçar seu pessimismo na crença de que você tem uma visão mais realista do que os outros.
- Ressentir-se de pessoas que, em sua opinião, seguiram em frente rápido demais.
- Frustrar-se com Deus por não impor consequências que, em sua opinião, deveriam ser mais graves.
- Enraivecer-se cada vez mais da injustiça da situação.
- Ficar obcecado com o que aconteceu, repetindo sem parar os eventos em sua cabeça.
- Dizer coisas passivo-agressivas para provar que está certo.
- Minimizar a tristeza ou a desilusão dos outros para mostrar que o seu sofrimento é maior.
- Achar que tem o direito agir de maneiras não saudáveis porque foi injustiçado.
- Perder o controle e explodir com pessoas que não merecem esse tipo de reação.
- Passar a evitar situações que você costumava gostar.
- Afastar-se de pessoas que não têm nada a ver com a situação por medo de ser magoado.
- Acreditar, sem motivo, que o pior sempre vai acontecer.
- Ter expectativas irrealistas.
- Recusar-se a dizer à pessoa que o magoou o que realmente incomoda.
- Manter à distância das pessoas que não pensam como você.
- Recusar oportunidades de conversar e esclarecer as coisas.

- Recusar-se a considerar outros pontos de vista.
- Culpar e humilhar mentalmente a pessoa vez após vez.
- Recrutar em segredo pessoas para ficar ao seu lado sob o pretexto de desabafar ou conversar sobre o que está acontecendo.

Como disse, não quero, de maneira alguma, criticá-lo ou culpá-lo de nada. De jeito nenhum. Já estou muito ocupada lidando com minhas próprias emoções provocadas por essa lista. E não estou dizendo que os itens dessa lista provam que a amargura é a causa de tudo.

O que estou sugerindo na segurança destas páginas, sem apontar o dedo para você, é que você reflita se a amargura não pode ter se transformado em algum tipo de perda ou vazio em sua vida. Você pode ter se saído com sua própria lista de problemas disfarçados causados pela amargura.

Só podemos resolver um problema se os reconhecermos.

Mas, como nós dois sabemos que aquilo que negamos no passado não gosta de ser exposto no presente, proponho um exercício para nos sentirmos menos expostos, mesmo se envolver fazer algo meio estranho. Quero lhe mostrar um lado diferente da amargura e esclarecer alguns mal-entendidos. Ao pensar sobre o que a amargura de fato é, fiz as seguintes observações:

- O centro da amargura não é o ódio, mas a mágoa. Isso não é uma justificativa para a amargura, mas só uma observação que pode nos ajudar a não ficarmos tão na defensiva. Nossos sentimentos de amargura normalmente estão associados à nossa percepção de que fomos magoados de maneiras profundas, maneiras injustas, maneiras que mudaram tanto a nossa vida que é quase impossível pensar em perdão. Pode parecer que a única maneira de atenuar a amargura é com uma pitada de vingança. E a única vingança que não implica em uma temporada na prisão é o ressentimento. É assim que justificamos que, se não podemos obrigar nosso ofensor a pagar externamente pelo que fez, pelo menos podemos fazê-lo pagar nutrindo internamente uma grande amargura contra ele.

- A amargura não costuma se imiscuir profundamente nos corações endurecidos, mas sim nos corações mais sensíveis. Não que as pessoas sensíveis sejam frias, mas a situação as deixou inseguras. Estamos falando de uma pessoa compassiva que confiou em alguém que não deveria ter confiado. E ela se sentiu enganada quando a confiança que deu como um presente foi pisoteada e destruída. Os cacos afiados deixados para trás pela confiança quebrada machucam profundamente e ela resiste aos outros por puro medo de voltar a ser magoada. Se ela não se importar mais com os outros e não se aproximar mais deles, não precisará mais ter medo de sua confiança voltar a ser quebrada. Seu coração não foi feito para ser duro, mas é a única maneira que a pessoa conhece de se proteger. A amargura costuma resultar da necessidade de se proteger.
- A amargura não é uma indicação de que a pessoa tem um potencial limitado de se relacionar. Em geral, o coração amargo é o coração que tem a maior capacidade de amar profundamente. Mas, quando você ama profundamente, corre mais risco de ser profundamente magoado. E, quando esse risco se concretiza, parece aprisionar o amor que antes era selvagem e livre. O amor enjaulado chora e grita amargurado.

> *A amargura se disfarça de outras emoções caóticas que são mais difíceis de atribuir origem da mágoa.*

Ser uma pessoa amarga é diferente de ser uma pessoa má. Costuma ser um sinal de que uma pessoa com grande potencial para o bem preencheu o vazio de suas perdas com sentimentos que até são naturais, mas que não ajudam muito em momentos de luto.

Mantendo tudo isso em mente, acho que fica mais fácil entender por que algumas páginas atrás escrevi que, se a perda é o caminho que a amargura usou para entrar, revisitar o luto pode nos ajudar a encontrar a saída.

O que me traz de volta ao funeral de hoje. Fiquei sensível no funeral e meu coração amoleceu a ponto de me permitir reconsiderar algumas coisas. A ponto de me permitir fazer um grande progresso sem achar que entraria em colapso. Saber que meu coração se desequilibrou um pouco não me transpassou como uma britadeira. Não era necessário. Eu só me abri ao luto. Deixei o peso da perda me revisitar. Saí de onde estava escondida, atrás da injustiça de minha situação, e senti minha rigidez sendo regada pelas lágrimas doídas do novo luto. Esse amolecimento me fez bem. Os corações endurecidos tendem a se despedaçar. Os corações enternecidos não se partem com tanta facilidade.

Quanto mais nos afastamos da fonte original do nosso luto, mais endurecemos. Se não lidarmos com elas, a mágoa e a dor endurecem como solo ressecado. E a única maneira de desempedrar o nosso coração é deixar as lágrimas voltarem a fluir.

Outro dia aprendi o que fazer com um solo ressecado para cultivar belas plantas. Você começa com um pouco de água, um pouco mais de um centímetro. Evite encharcar a terra. Deixe o solo absorver a água aos poucos. Deixe assim por alguns dias, para a água penetrar abaixo da superfície. Agora cave uns 20 centímetros e revire o solo, expondo-o à superfície. Em seguida, borrife o solo revirado com um pouco de água para amolecer a superfície antes de misturar o adubo. O adubo é um material orgânico que já foi vivo e foi decomposto. Em vez de descartá-lo, você o usa como fertilizante. Não sou um especialista em plantas. Mas essas instruções parecem muito aplicáveis ao meu desejo de cuidar das partes empedradas do meu coração.

No sentido espiritual, dá uma ideia de como transformar a aridez da amargura em solo fértil.

Não é pisoteando a pessoa que ela vai deixar de ser amarga.

Não adianta apontar o dedo, cutucar, implorar nem provocar para retirar a amargura da pessoa.

A aridez dá lugar à fertilidade. Conforme você afofa o solo duro, vai misturando uma nova perspectiva e a perspectiva é o melhor fertilizante que existe. Em vez de descartar tudo pelo qual passamos, é mais interessante usar nossas experiências para fertilizar o solo amolecido do nosso coração, aumentando as chances de uma nova vida florescer.

Um bom lavrador sabe que não adianta afofar o solo endurecido só uma vez. De tempos em tempos, o solo precisa ser trabalhado, afofado e revirado. O mesmo se aplica ao nosso coração.

Se não fizermos nada, nosso coração continua sendo pisoteado e pode acabar endurecendo e nos endurecendo junto. Sabendo disso, precisamos incorporar à nossa vida esse processo de enternecer e revirar o solo do nosso coração.

E, quando Deus permite coisas que nos enternecem e nos reviram, devemos lembrar que essas coisas são para nós como são para a terra do lavrador. O lavrador sabe o que é bom para o solo, assim como Deus sabe o que é bom para o coração humano. Ambos veem um grande potencial para uma nova vida, novos frutos e novos e belos começos.

A certa altura no funeral, tive de simplesmente me permitir absorver todo o luto.

Chorei. Não porque a conhecia tão bem, mas porque, nos dois últimos anos, a conheci tão pouco. Deixei que algumas diferenças na nossa visão de vida me afastassem um pouco dela. Eu fiz mais do que estabelecer limites. Eu parei de tentar. Eu desisti cedo demais. Os funerais costumam nos lembrar de não deixar coisas importantes, coisas boas, para ser ditas depois.

Não estou dizendo que devemos começar a falar tudo o que nos passa pela cabeça nos funerais. De jeito nenhum. É preciso respeitar o espaço sagrado do luto. Mas podemos nos manter abertos para nos conscientizar do pesar dos outros. Não precisamos de um caixão para ter um funeral. Momentos marcantes de luto acontecem ao nosso redor todos os dias.

Pense nas inúmeras vezes em que alguém conta sobre uma dificuldade que está passando ou uma situação que está tentando processar e tudo o que você consegue dizer é algo nas linhas de: "Sinto muito. Vou orar por você".

É bom orar, mas não adianta dizer isso só para não ficar calado e deixar para lá cinco minutos depois.

Pode ser mais interessante dizer algo como: "Não deve estar sendo fácil para você e posso imaginar a sua dor. Posso não saber exatamente como você está se sentindo, mas sei que deve estar doendo muito. Como um ato de compaixão, vou passar o dia acolhendo seu pesar no meu coração e tentar aprender alguma coisa com isso enquanto oro por você".

E é exatamente o que eu faço. Deixo o pesar falar comigo.

Sabendo que deixar de lidar com o luto pode levar à amargura, faz muito sentido que tentar lidar com uma parte do processo de luto de outra pessoa nos ajude a processar nossas próprias perdas.

A cultura judaica tem todo um ritual para processar a perda de um ente querido. Ajuda muito saber o que fazer com a perda. Ao procurar me informar mais sobre os rituais do judaísmo e ao conversar com uma amiga judia, fico atenta às lições que posso aprender.

Uma das coisas mais fascinantes que ela me contou foi que, no judaísmo antigo, as pessoas subiam as escadas e entravam no templo pelo lado direito. Mas, por um ano inteiro depois de perder um parente próximo, os enlutados entravam pelo lado esquerdo, por onde os outros saíam. Assim, todos sabiam quem estava de luto. Esse ritual não só é fascinante, com também é de grande auxílio. As pessoas sabiam que deveriam cumprimentar os enlutados com afeto, bondade e consideração pela dor que eles estavam sentindo.

Mesmo sem ter indicadores tão claros da presença da perda, existe uma maneira segura de saber que a perda faz parte da vida de uma pessoa: ela está viva.

Devemos tratar todas as pessoas que vemos como se elas estivessem entrando pela porta da esquerda. Pois, se elas estão respirando, isso quer dizer que estão carregando algum tipo de perda. Seja gentil. Respeite a perda delas. Ao fazer isso, seremos mais conscientes e amenizaremos nossa propensão a nos endurecer.

Não estou sugerindo que você tolere coisas que não deve, que permita comportamentos abusivos ou viabilize as escolhas caóticas dos outros. Mas, em vez de rotulá-las como pessoas más, horríveis ou tóxicas, pode ser mais interessante apenas dizer: "Ele está em luto por uma perda. E pode ter preenchido a perda com maldade. Deus, ajude-me a não aumentar a dor dele nem ser como ele. Ajude-me a aprender alguma coisa com isso".

Outra tradição judaica de luto que é praticada até hoje é "respeitar a shivá".[9] A prática da shivá é respeitada por todos os membros da família imediata do falecido: cônjuge, filhos, pais e irmãos. Nos sete dias que se seguem ao enterro, parentes e amigos vão à casa dos enlutados e realizam a shivá. Eles levam comida, consolo, conversas e memórias. A shivá abre um espaço para os enlutados falarem sobre seu pesar, se distanciarem dos rigores do dia a dia e receberem os cuidados de amigos e familiares.

Ao realizar a shivá, você desliga o sistema de segurança de sua casa para as pessoas poderem ir e vir. E você sabe que as pessoas virão. Ir a funerais e respeitar a shivá é um dos mais importantes dos 613 mandamentos judaicos, ou boas ações, e sempre é possível arranjar um tempo para isso. É um ato de compaixão sem esperar nada em troca.

Em outras palavras, as pessoas nunca deixam de lidar com a perda, pois nunca deixam de reconhecer o luto. E nada disso é feito em solidão. A cura resulta de processar juntos a perda. A entrada é a saída.

Se podemos entrar em contato com nossas emoções vendo um filme que nos toca e choramos por personagens que nem conhecemos, você não acha muito possível nos sensibilizar com pessoas do nosso convívio que estão passando por algum tipo de perda?

Amolecer o solo de seu coração nem sempre precisa começar com uma perda tão grande quanto a morte de um ente querido.

Sei que vários amigos meus estão passando por perdas grandes e pequenas. Não importa o tamanho da perda, o luto que a acompanha é real e precisa ser processado. Preciso ser capaz de amolecer as partes endurecidas do meu coração.

Gostaria de lhe fazer uma pergunta que, provavelmente, devia ter feito no início deste capítulo. Mas, às vezes, escolher o caminho mais longo é a melhor maneira de passar mais tempo com seus companheiros de jornada. E, meu querido amigo, me importo muito com você e com sua dor. Quero que minhas palavras pratiquem a shivá com você, enquanto processamos tudo isso juntos. Para ajudar nessa reflexão, proponho a última pergunta deste capítulo: O que é amargura?

Um sentimento?

Um coração endurecido como o solo ressecado?

Uma indicação de um luto não processado?

Comentários que faço para magoar porque fui magoada?

Uma atitude que extravasa da maneira que menos desejamos?

A amargura pode ser uma combinação de tudo isso e muito mais. Falaremos mais sobre o que fazer com nossa amargura no próximo capítulo. Mas, por enquanto, gostaria de propor mais uma definição possível de amargura. E se a amargura na verdade for a semente de um belo potencial que ainda não foi plantada no solo fértil do perdão?

E se?

Assim, escolho me abrir a isso tudo. À dor da perda. À doçura da possibilidade. À culpa pela maneira como usei meu luto para ferir os outros. Ao perdão de um Salvador compassivo. Ao reconhecimento de que o que fizeram comigo foi injusto. À constatação de que o ressentimento não melhora nada. À possibilidade de deixar a ternura voltar à minha vida.

Ao convite para praticar a shivá.

Ao ceticismo que parece fechar meus olhos a uma nova perspectiva.

À expectativa de me curar mais.

À consciência de que há mais beleza para ver neste mundo, mesmo em meio a funerais... ou, melhor ainda, especialmente por haver funerais.

Os corações endurecidos tendem a se **despedaçar.** Os corações enternecidos **não se partem** com tanta facilidade.

CAPÍTULO 13

A AMARGURA

FAZ PROMESSAS

QUE NÃO CUMPRE

A IDEIA era mandar um cartão de aniversário.

É bom parabenizar as pessoas, pois é como dizer: "Eu adoro você e adoro compartilhar este momento com você e expressar meus melhores sentimentos guardados no meu coração e na minha mente. Vou escrevê-los, dizê-los, dar voz a eles e tirá-los do meu coração para dançar no seu".

É uma bela troca. E os cartões de aniversário são uma forma de unir as pessoas.

Mas esse cartão, essa "celebração", era diferente.

Parecia que era algo exigido de mim. Parecia um pouco forçado. Não estava sendo fácil para mim porque a pessoa não estava mais na minha vida. Ela não abusou de mim. Mas, quando mais precisei, ela ficou estranhamente distante e ainda convenceu outras pessoas a assumir a mesma postura, o que me magoou ainda mais.

Então, no fundo, decidi que essa pessoa não tinha mais espaço no meu coração, na minha agenda ou na minha lista de cartões comemorativos.

Mas lá estávamos nós, abrindo uma exceção. Estava abrindo um espaço para ela sem saber direito por quê.

Era um cartão grande e bonito, que exigiria mais selos do que o normal. Eu e Art o compramos antes de ir jantar e depois decidimos juntos o que escrever. Pensamos no jeito certo de expressar os sentimentos para que eles fossem gentis e verdadeiros. Antes de fechar o envelope, passamos um tempo em silêncio, olhando para o cartão, cada um perdido nos próprios pensamentos e sentimentos de perda.

Olhei para Art como quem diz: "Tudo bem. Vamos lá".

Depois de um tempo, Art fechou o envelope. Colei não um, mas dois selos a mais do que o normal. Devia ser o suficiente para mandar o cartão. Lembro-me de ter pensado: "Caramba... quem diria. Estou me revelando ser uma pessoa melhor. Acho que essa história toda de cura está dando certo para mim". (Sei que você está aí revirando os olhos. Pode acreditar que também estou.)

Confirmamos que enviar o cartão seria a coisa certa a fazer, apesar de anos terem passado desde a última vez que ouvimos falar dessa pessoa. Depois do jantar, fomos aos correios e enviamos o cartão.

Passei mais ou menos uma hora satisfeita com a grandiosidade meu ato.

Até que recebi um e-mail com umas notícias frustrantes que não tinham nada a ver com a pessoa a quem mandamos o cartão. Eu tinha pago para alguém fazer um trabalho que não ficou a contento e agora ele estava me cobrando pelo tempo adicional que levaria para consertar o próprio erro. E ele ainda estava sendo sarcástico sobre ter de consertar o erro, quase insinuando que a culpa foi minha.

Normalmente, só pegaria o telefone e ligaria para a pessoa. Seria uma conversa prática para esclarecer a questão. Mas meu lado racional parecia paralisado e me senti enganada. Sentia que a pessoa estava se aproveitando de mim e fui tomada por uma raiva desproporcional para a situação. Ainda bem que esperei um pouco para responder o e-mail.

Mas aquele sentimento de "injustiça" foi como um ímã atraindo os sentimentos de injustiça com os quais tinha deixado de lidar. Todos esses sentimentos percorreram os corredores do meu coração e mente, prontos para se encontrar e se unir, multiplicando seu impacto como uma multidão descontrolada.

A pessoa para quem enviei o cartão não tinha nada a ver com aquela cobrança inesperada, mas os dois eventos acabaram se mesclando como uma coisa só.

E, por mais que tentasse não relacionar tudo com a mágoa dos problemas maritais que ainda estava processando, tudo se agitou e se misturou. De repente, a vida parecia insuportável. Parecia que o mundo inteiro estava contra mim e eu jamais me livraria da dor.

Não queria que todas essas coisas se juntassem nem queria ser puxada por esse turbilhão de emoções. Eu estava tentando manter as coisas em perspectiva, mas estava perdendo a batalha para manter a calma.

As injustiças que, do nosso ponto de vista, nunca foram corrigidas têm uma capacidade incrível de ficar fermentando em silêncio até que a próxima injustiça lhes dê permissão para sair causando o caos.

Senti uma onda intensa de emoções. Sabia que reagiria mal e, apesar de não querer admitir, a amargura estava em ebulição dentro de mim.

Nossas reações são manipuladas pelas lentes das mágoas não resolvidas do passado. Lentes amargas, reações amargas.

Não temos como controlar todas as circunstâncias do nosso dia a dia. E, apesar de sabermos que estamos no controle de nossas próprias reações, quando uma mágoa profunda é despertada, é natural que nossa reação seja mais um reflexo de mágoas passadas do que a mais completa serenidade refletindo toda a nossa maturidade espiritual.

A AMARGURA FAZ PROMESSAS QUE NÃO CUMPRE

Meu orientador espiritual, Jim Cress, costuma dizer: "Uma reação histérica é histórica". Pode parecer que não temos controle algum se os eventos de nossa história forem pintados com as tintas da amargura e dos ressentimentos.

O *ressentimento* costuma ser associado a uma pessoa específica em razão de devido a um incidente específico. A *amargura* costuma ser o sentimento resultante de todos os nossos ressentimentos. Não importa como definimos essas palavras, elas fazem parte do mesmo problema.

A amargura não é só um termo que usamos para rotular as pessoas e os sentimentos gerados pelas mágoas causadas por elas. É um ácido que se infiltra em cada parte de nós e corrompe tudo o que toca. A amargura não só atinge lugares não curados como corrói tudo o que temos de curado e saudável. A amargura não deixa nada intocado. A amargura causada por uma coisa sempre localiza a amargura escondida dentro de nós causada por outras coisas. E o resultado sempre será reações mais intensas, perspectivas distorcidas e dificuldade de ficar em paz.

A pessoa para quem enviei o cartão não estava comigo quando recebi o e-mail. Mas a dor que ela me causou estava bem do meu lado, talvez até dentro de mim, intensificando minhas emoções e reduzindo minha capacidade de processar racionalmente o e-mail. As lentes da amargura me deixaram ainda mais amarga.

Estava tentando fazer as coisas certas pulando a etapa do perdão.

O fato de não ter perdoado as pessoas que me magoaram estava levando a dor que elas causaram a todas as situações do meu dia, me magoando vez após vez. Agarrar-me a essa mágoa não estava diminuindo minha dor. Estava multiplicando. E estava me manipulando para me tornar alguém que não queria ser. Em vez de fazer a coisa certa, só estava piorando tudo – a mim mesma, às pessoas e à situação toda.

O inimigo adora ver como a amargura bloqueia a nossa cura e nos impede de ver a bondade de Deus.

Nunca vi uma pessoa amarga e pensei: "Nossa! Quero saber mais sobre a esperança de Deus na vida dessa pessoa". Não quero ser dura. Só estou tentando fazer com que meu lado amargo seja mais franco e mais ciente do que realmente está acontecendo. E de como a amargura é capaz de ferir.

Toda amargura é corrosiva. Ela corrói nossa paz. E a maioria de nós não está ligando os pontos de que os altos e baixos do peso e da inquietação em nossa vida provam que não estamos abertos ao perdão.

Eu não estava ligando os pontos entre as mágoas do passado e a minha intensa reação no presente.

Eu não conseguia entender o que estava causando os meus sentimentos.

Era o e-mail.

Era a pessoa a quem mandamos o cartão.

Eram as pessoas recrutadas para aumentar a dor da situação.

Era o fato de que nenhuma dessas pessoas que causaram tanta mágoa jamais pagou pelo que fez.

Era o fato de eu ter tentado perdoar, mas claramente não ter conseguido. E, no fundo, queria que Art me defendesse e obrigasse essas pessoas a admitir que foram injustas comigo.

Mas a história não terminava por aí. Eu só não sabia até onde ia. Eu só sabia que precisava dar vazão a isso tudo e não tinha mais como me conter.

Essa é a realidade inconveniente da dor emocional. Ela não respeita a nossa agenda. Não dá para agendar os gatilhos. E começamos a acreditar que não temos como domar nossas reações.

Eu não queria ter um ataque de fúria naquele momento. Art e eu planejávamos relaxar depois do jantar, ver o pôr do sol, talvez assistir a um filme, e só ficar juntos. Por que de repente eu estava ameaçando colocar todos os nossos planos a perder? Eu não queria isso, mas, ao mesmo tempo, confesso que queria.

Meu cérebro tentava intervir usando a razão, mas meus sentimentos marchavam inabaláveis protestando por justiça e derrubando tudo o que encontravam no caminho.

Como um promotor que faz seu argumento final no tribunal esmurrando uma mesa repleta de evidências incontestáveis, declarei: "Tudo o que preciso saber é que você reconhece a dor que essas pessoas me causaram. Elas fizeram escolhas erradas, dolorosas e egoístas. E parece que nem se deram conta do quanto estavam erradas. Achei que já tivesse deixado isso para trás, mas toda a confusão e a mágoa voltaram. Estou furiosa porque elas não só me magoaram anos atrás como estão me magoando de novo agora. Vejo que não fui curada, sinto-me exposta e frustrada. Quero que você me defenda. Preciso que você dê um jeito nisso!"

Art só ouviu. E perguntou com calma: "Lysa, será que você não está com raiva por não ter visto evidências de que Deus está defendendo você?"

E lá estava.

Um momento de absoluta clareza. Uma afirmação feita na forma de uma pergunta se elevando acima do caos, acima das minhas exigências dogmáticas por respostas, justiça e imparcialidade.

O que Deus tinha a ver com isso?

Eu odiei que Art tivesse feito a pergunta. E adorei que ele tivesse feito a pergunta. Foi bom saber que ele estava tão alinhado com meus verdadeiros sentimentos. Mas também me senti um pouco ameaçada ao saber que ele estava tão alinhado com meus verdadeiros sentimentos.

Nunca me senti tão exposta, mas também nunca me senti tão compreendida.

A dor profunda revela verdades que nossa alma jamais ousaria admitir.

Engoli em seco.

Senti o gostinho de uma realidade amarga prometendo ser uma doce verdade se eu fosse capaz de admiti-la.

"Tem razão. É por isso que estou com raiva. Não entendo por que Deus não mostrou a essas pessoas que o que elas fizeram foi errado e não as fez se sentir culpadas por toda a devastação que causaram."

Art perguntou: "Como você sabe que Ele não fez isso?" Recusando-me a organizar minha resposta, soltei sem pensar: "Porque eles nunca me procuraram para admitir o erro nem pedir desculpas".

Art respondeu tranquilamente: "E pode ser que nunca aconteça. Mas isso não é uma evidência contra Deus. Só mostra que eles ainda estão processando".

Eu não sabia se queria ter um acesso de raiva, vomitar tudo, ou levantar uma bandeira branca e me render a esse processo.

O processo.

Eles precisam processar. Mas eu também. E acho que é hora de me focar mais no meu processo.

Senti meu punho se abrir.

E eu me perguntei quando foi a última vez que realmente relaxei.

Havia muita sabedoria nas palavras de Art. Quando me abri a suas palavras, percebi que muitos outros elementos precisam ser incluídos no meu processo.

Preciso ser mais humilde. É impossível perdoar sem humildade.

Eu protesto e exijo ser declarada a certa, a boa, a vítima. Mas essa atitude nunca melhorou nada para mim, só me amargurou.

A humildade faz uma reverência e reivindica a maior vitória que um ser humano pode atingir: o prêmio da paz de Deus.

Nunca me identifiquei muito com a história do filho pródigo. Não tenho uma natureza rebelde, nem sou propensa a gastos desnecessários. Mas, depois de reler a história, achei que ela podia muito bem ser chamada "os filhos pródigos", no plural. Os dois irmãos eram rebeldes. Só que a rebeldia de um era mais clara do que a do outro. Um era perdulário. O outro, ressentido.

No entanto, no fim, foi o ressentido que acabou mais resistente ao pai. Ele ficou tão indignado com todos os erros do irmão que não conseguia ver o que o pai estava fazendo. Vamos dar uma olhada no fim da parábola:

> *"O filho mais velho encheu-se de ira e não quis entrar. Então seu pai saiu e insistiu com ele. Mas ele respondeu ao seu pai: 'Olha! todos esses anos tenho trabalhado como um escravo ao teu serviço e nunca desobedeci às tuas ordens. Mas tu nunca me deste nem um cabrito para eu festejar com os meus amigos, contudo, quando volta para casa esse teu filho, que esbanjou os teus bens com as prostitutas, matas o novilho gordo para ele!'"*
>
> *"Disse o pai: 'Meu filho, você está sempre comigo, e tudo o que tenho é seu. Mas nós tínhamos que celebrar a volta deste seu irmão e alegrar-nos, porque ele estava morto e voltou à vida, estava perdido e foi achado.'" (Lucas 15:28-32)*

Quando o pai lembra o irmão que "tudo o que tenho é seu", ouço Deus me lembrando: "Volte-se a mim. Confie em mim. Entregue toda essa situação a mim. Meu trabalho é maior do que você imagina. Você não quer a vingança. Você quer a cura. Você não quer mais caos. Você quer paz. Você não quer que eles sofram. Você só não quer ser magoada de novo".

A amargura é um mau negócio que começa fazendo grandes promessas, mas, no fim, não entrega nada do que você realmente quer. Só Deus tem o que realmente quero. Entregar meu coração à amargura é me afastar de Deus.

Então me curvo com uma humilde reverência... não porque quero. Mas porque preciso.

"Deus, entrego esta situação ao Senhor. Abro mão de todas as evidências de que eles erraram. Abro mão da minha necessidade de vê-los sendo punidos. Abro mão da minha necessidade de receber um pedido de desculpas. Abro mão da minha necessidade de ver algum tipo de justiça na situação. Abro mão da minha necessidade de o Senhor me declarar certa e eles, errados. Mostre-me o que preciso aprender com tudo isso. E substitua minha raiva por Sua paz."

Pergunte-me se queria fazer essa oração. De jeito nenhum. Mas vou continuar fazendo essa oração até a beleza e a justiça começarem a se instalar em mim.

Queria deixar claro que não estou tirando a sua escolha ao escrever isso. Nem estou dizendo que tem algo de errado com os seus sentimentos. Os sentimentos são um importante sinal de que há alguma questão a ser resolvida.

Você continua tendo a escolha de ficar com raiva. E eu sou a última pessoa do mundo que pode julgá-lo por isso. Afinal, eu acabei de sair de um surto. O que me daria o direito de criticá-lo por não fazer a mesma escolha que eu?

Tenho a escolha de continuar incluindo a raiva e o ressentimento à equação ou posso fazer a rara escolha de incluir a humildade. Minha raiva e ressentimento exigem que todos os erros sejam corrigidos e me expõem a uma série de gatilhos emocionais inesperados. Minha humildade quer algo muito melhor para mim: a paz.

A AMARGURA FAZ PROMESSAS QUE NÃO CUMPRE

E você não concorda que viver em paz é o melhor resultado possível? Incluir humildade à situação reconhece a injustiça, mas confirma minha confiança de que Deus fará o que precisa ser feito no coração tanto das pessoas quanto no meu.

Minha paz passou tempo demais refém das pessoas que se recusaram a me pedir desculpas. Elas podem não ter se desculpado por várias razões:

- Elas foram tão magoadas por outras situações que estão cegas no próprio sofrimento.
- Elas não ligam de ter me magoado.
- Elas nem sabem que me magoaram.
- Elas estavam se protegendo de alguma dor não resolvida causada por mim.
- Elas estão mergulhadas em algum pecado que as impede de ter empatia pela dor que causam.
- Elas acham que estavam no direito de fazer o que fizeram porque realmente acreditam que eu mereci.
- Elas não acham que fizeram nada de errado.
- Eles receberam conselhos equivocados.
- Mais um monte de outras razões complicadas.

No fim das contas, não adianta perder meu tempo tentando entender as razões deles. Faz mais sentido seguir os ensinamentos de Romanos 12:18: *"Façam todo o possível para viver em paz com todos"*. É interessante conhecer o contexto desse versículo e refletir sobre ele. Fique comigo, enquanto analisamos algumas histórias interessantes da Bíblia.

Paulo escreveu essa instrução para os povos judaicos e gentios que estavam sendo perseguidos pelos romanos. O próprio

Paulo estava sendo perseguido pelos romanos. Seus ensinamentos, convocando as pessoas para a santidade de Deus, estavam provocando rupturas nos sistemas políticos, sociais e religiosos da época.

Ao converter pessoas ao Evangelho, Paulo as afastava dos rituais envolvendo ídolos. Em Atos 19:26, Paulo diz que *"deuses feitos por mãos humanas não são deuses"*. O ourives Demétrio estava furioso porque a venda desses ídolos lhe rendia muito dinheiro. A perda da renda e o descrédito de um deus que eles estavam acostumados a adorar enfureceram as pessoas que lucravam com esse sistema religioso. Essas pessoas se revoltaram contra Paulo e o expulsaram da cidade.

Era esse tipo de hostilidade que Paulo estava enfrentando quando escreveu sua carta às igrejas de Roma. Paulo não teve um minuto de paz, enquanto escrevia o que veio a se tornar o livro de Romanos. Ele não estava de férias pacíficas com pessoas pacíficas em circunstâncias pacíficas. Ele escreveu essa instrução durante sua terceira jornada missionária, enfrentando grande oposição e perseguição.

Paulo escreveu sua carta aos romanos porque sabia que não seria fácil conquistar a paz. Eles achariam que seria tão difícil conquistar a paz quanto nós achamos que é difícil em meio a dificuldades constantes, oposição sem fim e diferenças nos relacionamentos. Mesmo assim, Paulo queria lembrar a todos que a paz era possível.

Identifico-me muito com isso. Parece que todos os dias me trazem problemas diferentes. Os conflitos parecem que nunca terminam. Quando as pessoas parecem tão inclinadas a se ofender e se enfurecer, como é possível viver em paz?

Os gregos acreditavam que a paz é a ausência de hostilidade.[10] Contudo, Paulo nos ensina que a paz é a atmosfera que podemos

A AMARGURA FAZ PROMESSAS QUE NÃO CUMPRE

levar à hostilidade. Essa paz é uma completude que temos resultante de nosso relacionamento com Deus. A palavra hebraica para paz é *shalom*. É interessante notar que a palavra *shalom* é usada até hoje para cumprimentar e se despedir das pessoas.

A palavra imbui de paz a interação e expressa o desejo de que a pessoa fique em paz. É isso que eu quero na minha vida. Não quero mais esperar que os outros me tragam paz. Preciso tomar a decisão de levar uma atmosfera de paz, *shalom*, a todas as situações.

Sei que não é fácil. E confesso que ainda me pego resistindo, mas me faz muito bem. Não somos nós que evocamos essa paz. Ela é uma evidência de Jesus em nós. Nos mudando. Nos transformando. Nos curando.

Em João 14:27, Jesus diz: *"Deixo a paz a vocês; a minha paz dou a vocês. Não a dou como o mundo a dá. Não se perturbe o seu coração, nem tenham medo"*.

João se refere à paz usada "para conservar ou manter a paz". A paz é uma dádiva que Deus dá aos que acreditam e essa dádiva mostra ao mundo que somos diferentes. Atualmente, viver em paz neste nosso mundo parece ridiculamente impossível.

Mas, quando o impossível é possibilitado porque Jesus está em nós, não há testemunho maior a ser compartilhado. Não há nada melhor para acrescentar em uma situação do que o próprio Príncipe da Paz (Isaías 9:6). Basta pronunciar o nome de Jesus para trazer a paz.

E não podemos perder o contexto de vista. Paulo não diz: *"Os outros devem fazer todo o possível para viver em paz"*. Nem diz: *"Contanto que os conflitos terminem em paz"*.

Ele diz: "Façam todo o possível para viver em paz com todos", ou seja, cabe a nós fazer o possível para viver em paz.

Em outras palavras, as escolhas dos outros não impedem a paz na minha vida. A paz é possibilitada pelas minhas escolhas.

Muitos teólogos acreditam que, em Marcos 9:50, Paulo está reforçando o que Jesus disse sobre como os cristãos se diferenciam no mundo: *"O sal é bom, mas, se deixar de ser salgado, como restaurar o seu sabor? Tenham sal em vocês mesmos e vivam em paz uns com os outros"*. No caso, "ser salgado" se refere a permitir que nossa atitude cristã seja o nosso tempero e o nosso conservante da paz, não só para outros cristãos quanto para o mundo todo.

Saiba que isso é possível, mas só se renunciarmos às nossas ofensas todos os dias, mantermos nossos corações livres de amargura e mantermos a humildade mesmo quando alguém nos machucar. E é nesse ponto que só quero me jogar no chão e declarar em voz alta: "MAS EU NÃO SOU JESUS!!"

Não me orgulho de dizer isso, mas, por mais difícil que pareça, acho que é ainda mais difícil continuar permitindo que minha paz dependa das circunstâncias e das pessoas. Não sou só eu que acabo machucada. Todo mundo sai prejudicado com essa minha atitude. Você se lembra que disse que a amargura se infiltra em tudo como um ácido? A mancha da amargura não se limita à ponta dos meus dedos... ela macula todas as pessoas que toco.

Em Hebreus 12:14-15, somos instruídos: *"Esforcem-se para viver em paz com todos e para serem santos; sem santidade ninguém verá o Senhor. Cuidem que ninguém se exclua da graça de Deus; que nenhuma raiz de amargura brote e cause perturbação, contaminando muitos"*. A impureza da amargura contamina todas as pessoas ao nosso redor. Nunca é só um problema pessoal... é coletivo. Eu nunca sou a única afetada.

Essa instrução pode parecer difícil, mas também serve para nos abrir os olhos e nos fortalecer. Sempre achei que a paz só era possível na ausência de caos.

A AMARGURA FAZ PROMESSAS QUE NÃO CUMPRE

Agora estou percebendo que o contrário da paz não é o caos. É o egoísmo. O meu e o deles. É bom cuidar de si mesmo, porém, não é bom ficar focado só em si mesmo.

O coração humano é muito propenso a focar-se em desejos egoístas em detrimento das outras pessoas. Mas só posso mudar a mim mesma. Preciso ser honesta ao analisar minhas próprias tendências ao egoísmo. E a melhor maneira de me afastar do egoísmo é na humildade do perdão.

A paz é a evidência de uma vida de perdão.

Não que as pessoas ao seu redor estejam em paz ou que todos os seus relacionamentos sejam absolutamente pacíficos o tempo todo. Mas é saber que no fundo você se libertou das forças restritivas do rancor e dos sentimentos limitantes da injustiça.

Você trocou aquele drama todo por algo muito melhor. Paz.

Viver no conforto da paz é muito melhor do que viver com as restrições do rancor.

Pense no alívio de tirar aquela calça apertada ou aquela roupa formal que não o deixa respirar e relaxar. Trocar essas roupas por suas roupas confortáveis é como se livrar do incômodo das roupas apertadas. Você consegue respirar direito. Você fica à vontade. Você se acalma e se acomoda. Seu corpo foi feito para ficar em paz.

Precisamos aplicar essa mesma atitude ao rancor, que restringe nossos pensamentos a um espaço apertado e reduz nossas possibilidades. Apegar-se ao ressentimento é como apertar tanto o cinto de nossos pensamentos que não temos como relaxar e descansar direito e somos impossibilitados de crescer. Essa força restritiva acaba se transformando em uma barreira que o impossibilita de abrir mão da dor do que fizeram a você. Você ficará sempre se lembrando da pessoa ou evento que o magoou e sentirá a dor como se tivesse voltado ao passado.

Deixar de perdoar alguém não ensina nada à pessoa nem o protege de nada. É escolher continuar sofrendo. É apertar ainda mais o cinto a cada lembrança. A dor não curada e a paz de espírito não podem coexistir.

Para termos uma chance de viver em paz com os outros, precisamos viver em paz dentro de nós mesmos.

Mas e a vingança? A justiça? A retidão? Vamos reler os versículos de Romanos 12.

> *"Amados, nunca procurem vingar-se, mas deixem com Deus a ira, pois está escrito: 'Minha é a vingança; eu retribuirei', diz o Senhor. Ao contrário: 'Se o seu inimigo tiver fome, dê-lhe de comer; se tiver sede, dê-lhe de beber. Fazendo isso, você amontoará brasas vivas sobre a cabeça dele'. Não se deixem vencer pelo mal, mas vençam o mal com o bem".* (Romanos 12:19-21)

O que me traz de volta àquele cartão de aniversário.

Sabia que a coisa certa a fazer seria mandar o cartão. Mas, quando o colocamos na caixa dos correios, minhas emoções ainda não tinham chegado a um consenso. Mas tudo bem. Às vezes as nossas emoções serão as últimas a concordar com esses versículos bíblicos.

Mandar aquele cartão pareceu uma mera formalidade. Uma gentileza forçada. Uma violação da minha necessidade de não abrir espaço na minha vida para essa pessoa que me magoou.

Mas pode ter sido mais do que isso. Pode ter sido uma maneira de obedecer às instruções divinas.

Aquele cartão fazia parte do processo.

Não preciso saber se fez ou fará alguma diferença na vida dela, mas fez uma diferença na minha. Fez parte do meu processo de cooperar com Deus. Superar o mal com o bem. Viver em paz no que depender de mim.

Deixar espaço para Deus agir sobre a pessoa. Orar pela misericórdia de Deus. Buscar a face de Deus. Conhecer a bondade de Deus. Viver na presença de Deus.

E, com isso, enxergo a beleza de Deus. Pode ser um cartão de aniversário enviado por um coração um pouco menos machucado. Um pouco menos triste. Um pouco mais curado.

E muito mais preparado para a paz.

Viver no conforto

da paz

é muito melhor
do que
viver com as

restrições

do rancor.

CAPÍTULO 14

PRATICANDO O PERDÃO TODOS OS DIAS

MAL POSSO ACREDITAR que este é o nosso último capítulo. Juntos, processamos muito nestas páginas. Fizemos uma jornada pelo nosso passado e estabelecemos bases sólidas para construir um futuro mais saudável. Conversamos juntos à mesa cinza e demos uma boa olhada em algumas das nossas feridas mais profundas. Fomos sinceros e até nos chocamos ao ver o quanto essas feridas nos afetaram para o melhor e para o pior.

Estou ao mesmo tempo satisfeita e assustada com o meu progresso.

Sou muito grata por estar me curando... me curando de verdade... não só pensando em superar a mágoa, mas, realmente, me empenhando para processar tudo o que aconteceu.

Mas, também, tenho medo de não conseguir manter a prática desta mensagem. Não tenho como desaprender esses ensinamentos sobre o perdão. Não tenho como fingir que não sei como a amargura pode inundar meu coração, quando uma perda abre uma rachadura em mim. Não tenho como fingir que meu coração não é resistente ao perdão, porque ainda é. Não tenho como fingir que, às vezes, prefiro dançar com a disfunção a ter conversas difíceis para estabelecer limites. E que prefiro me focar nos erros dos outros a admitir que tenho minhas próprias questões para resolver.

Não pude deixar de notar que algumas das primeiras palavras que o homem disse a Deus depois de comer o fruto proibido foram: *"Ouvi teus passos no jardim e fiquei com medo, porque estava nu; por isso me escondi"* (Gênesis 3:10).

Devo confessar que me identifico profundamente com essas palavras porque sou muito propensa a fazer a mesma coisa. Quando me machuco, fico com medo. Quando me sinto vulnerável, prefiro me proteger e me esconder a me expor ainda mais encarando meus próprios ressentimentos. Não que eu esteja comendo frutas proibidas em um jardim, mas minhas papilas gustativas anseiam pelas amargas e ilusórias recompensas de guardar rancor.

Pensando nisso tudo, acho que minha maior dificuldade não é praticar esta mensagem de perdão olhando para minhas mágoas do passado. Minha maior dificuldade está nas mágoas que sei que vou viver no futuro, mas que não sei quais serão e que me fazem hesitar.

Não temos como controlar a vida. Os relacionamentos não são fáceis. E não é fácil para o coração humano lidar com o estresse e as tensões constantes de administrar os problemas do dia a dia. Acontece muito de eu achar que estou conseguindo manter meu coração livre de amargura para me sentir um fracasso completo num piscar de olhos. Quando a mesma pessoa que me esforcei tanto para perdoar faz outra coisa que me magoa, posso querer desenterrar minhas evidências do que ela fez no passado, usar minha dor contra ela e sentir a amargura me invadir como uma inundação irrefreável.

Mas, ao me abrir a esses sentimentos de hesitação e tensão, concluí que o objetivo do perdão não é a perfeição. É o progresso.

Se isso acontecer com você, saiba que é normal. Não quer dizer que você seja incapaz de perdoar, pois não somos robôs. Somos pessoas com um coração sensível que sente profundamente e, portanto, podemos nos magoar intensamente. O melhor indicativo de progresso não é desenvolver a capacidade de nunca se machucar, se ofender ou perder o equilíbrio emocional.

O melhor indicativo de progresso é ser capaz de deixar a dor trabalhar a seu favor e não contra você.

Não deixe passar as oportunidades de permitir que a dor o conduza aos novos hábitos e perspectivas de cura que descobrimos juntos neste livro.

- Tenha um pensamento melhor.
- Tenha uma reação melhor.
- Tenha um jeito melhor de processar.
- Tenha uma conversa melhor.
- Tenha um limite, informe-o com amor e não deixe de impô-lo quando necessário.
- Tenha uma opção melhor do que recorrer a alguma substância para entorpecer a dor.
- Tenha um coração melhor, voltado para o perdão e não ao ressentimento.
- Tenha um dia a menos para passar irritado ou furioso.
- Tenha uma hora a menos recusando a graça.

Basta aplicar uma parte desta mensagem melhor do que da última vez. Depois, pegue outra parte desta mensagem e aplique-a e depois outra. Até o perdão mais imperfeito e conturbado, cheio de hesitação e resistência, é melhor do que deixar a amargura dominar seu coração. A soma total até dos menores indícios e ponderações de perdão é sempre melhor do que um momento dominado pela amargura. Você não precisa cooperar à perfeição com o perdão, basta fazer progressos, mesmo que pequenos.

Ao ponderar como Jesus nos ensinou a praticar esta mensagem de perdão, vi que Ele não queria que a aplicássemos apenas às maiores mágoas e decepções de nossa vida. Ele ensinou o perdão como uma prática diária.

Em Mateus 6, Jesus nos oferece instruções bastante específicas de como a orar. Isso me faz parar para pensar que Ele poderia nos ensinar tantas outras coisas para incluir em nossas orações diárias. Se eu tivesse de ensinar alguém a orar, acho que acabaria complicando demais algumas partes e, pior ainda, minimizaria ou até excluiria outras partes importantíssimas.

E quer saber o que eu poderia minimizar ou excluir? Justamente as partes que Jesus mais enfatiza: a confissão e o perdão.

Em Mateus 6:9-15, Jesus ensina:

"Vocês, orem assim:

'Pai-Nosso, que estás nos céus! Santificado seja o vosso nome. Venha nós o vosso Reino; seja feita a tua vontade, assim na terra como no céu. O pão nosso de cada dia nos dai hoje. Perdoai as nossas ofensas, assim como perdoamos aos que nos tem ofendido. E não nos deixes cair em tentação, mas livra-nos do mal, porque teu é o Reino, o poder e a glória para sempre. Amém.'

Pois, se perdoarem as ofensas uns dos outros, o Pai celestial também perdoará vocês. Mas, se não perdoarem uns aos outros, o Pai celestial não perdoará as ofensas de vocês".

Já falamos sobre a parte do pão de cada dia. Agora, vamos dar uma olhada na importância de receber e dar o perdão. É quase metade da oração. Se você contar as palavras desse ensinamento na Nova Versão Internacional, verá que ele contém 101 palavras. E nada menos que 40 dessas palavras são sobre dar e receber perdão. Não é pouca coisa!

Quando reparei nisso, fiquei curiosa para saber o que Jesus queria que fizéssemos diariamente, além de orar apenas para pedir a ajuda e a provisão divina.

O Pai-Nosso nos lembra do que o coração humano precisa todos os dias: precisamos de Deus, precisamos ser perdoados e precisamos perdoar.

O perdão deve fazer parte da nossa vida diária tanto quanto comer e dormir.

Mas vou ser a primeira a admitir que não faço isso todos os dias. E creio que nunca nem cheguei a uma vez por semana. Minha obediência quanto ao perdão deve se encaixar mais na categoria "raramente". E pode ser por isso que sinto esse peso inexplicável dentro de mim e que posso ter tanto medo dos relacionamentos, em situações como:

- Acho difícil acreditar que algumas pessoas podem mudar quando nosso relacionamento me leva a esperar o pior delas.
- Às vezes acho que é impossível ter um relacionamento verdadeiramente saudável.
- Posso me sentir sobrecarregada e exausta por ter de trabalhar tanto nos meus relacionamentos.
- Tendo a tolerar algumas pessoas mais do que gosto delas.
- Às vezes, acho mais importante provar que estou certa do que melhorar um relacionamento.
- Tenho dificuldade de confiar em algumas pessoas, não pelo que elas fizeram, mas pelo que eu fiz a outras pessoas.

Penso que não sou a única a passar por isso. Nos dias atuais o conflito e o caos estão por toda parte. Parece que basta estar vivo para se ofender com algo ou alguém. E quase todo mundo se ofende profundamente com alguma coisa. Quase todo mundo tem problemas em algum relacionamento. Quase todo mundo prefere se proteger a abaixar a cabeça e ajoelhar-se em oração. Creio que poucos de nós oramos todos os dias realmente nos voltando à confissão e ao perdão, como Jesus nos ensinou.

Sou a primeira a levantar a mão para admitir que tudo isso me define. Eu me ofendo muito fácil, rapidamente entro na defensiva, demoro para voltar-me à oração, raramente confesso ao orar e, muitas vezes, não perdoo.

Quero mudar isso, quero amadurecer e quero verdadeiramente incorporar na minha vida o ensinamento: *"Sejam todos prontos para ouvir, tardios para falar e tardios para irar-se"* (Tiago 1:19).

> *"Sentir raiva é diferente de viver com raiva.*
> *Sentir-se ofendido é diferente de viver ofendido.*
> *Sentir-se desconfiado é diferente de viver desconfiado.*
> *Sentir-se injustiçado é diferente de viver injustiçado.*
> *Sentir-se ressentido é diferente de viver ressentido."*

Jesus sabia que teríamos esses sentimentos todos, especialmente considerando a imprevisibilidade de nossa vida, nossos relacionamentos e até nossas próprias emoções. E, para nos adiantar a isso, Jesus nos dá uma oração para fazermos todos os dias. Com a confissão e o perdão, podemos nos adiantar a tudo o que precisaremos enfrentar nas próximas 24 horas.

E, também nesse caso, serei a primeira pessoa a dizer que não vou conseguir fazer isso à perfeição. Mas isso não significa que não vá tentar. Poucas semanas atrás, uma amiga que estou tentando ajudar me surpreendeu com uma reação que, admito, não me agradou muito. Fiquei tão magoada que não só quis parar de ajudar como, também, quis despejar toda a minha raiva na pessoa. Dava para sentir a amargura crescendo enquanto eu repetia na minha cabeça: "Depois de tudo o que fiz por você... toda a paciência, toda a ajuda que dei... VOCÊ ME TRATA ASSIM?!"

Mas, em vez de reagir na hora, lembrei-me de partes deste livro. Pensei que tinha começado a manhã daquele dia rezando o Pai-Nosso e confessando os vários aspectos de meu coração que eu precisava melhorar. Tinha decidido de antemão que perdoaria aqueles que poderiam fazer ou dizer algo que pudesse me magoar ou tumultuar minhas emoções naquele dia. E, ao me voltar à confissão e ao perdão, mais uma vez me lembrei de que não posso esperar dos outros uma perfeição que eu mesma estou muito longe de atingir. Preciso de graça para com minhas tendências humanas e os outros também.

A confissão quebra o ciclo de caos dentro de mim.

O perdão quebra o ciclo de caos entre nós.

Então, em vez de deixar minha raiva me incitar a causar mais mágoa e dor, eu simplesmente aceitei minha raiva como um indício de que algo precisava ser consertado e modificado naquele relacionamento. Mas, contudo, não achei que eu conseguiria conversar sobre o ocorrido com a minha amiga sem dizer coisas das quais eu poderia me arrepender depois. Eu sabia que eu precisava ser sincera, mas, também, não queria magoar. Eu sabia que queria ficar em paz com ela, mas só conseguia sentir o caos da situação. Então, convidei-a para ir à minha casa e, em vez de tentar conversar ou refletir juntas sobre a situação, propus orarmos juntas.

Queria que o Jesus em mim falasse com o Jesus nela. Eu queria que o Jesus nela falasse com o Jesus em mim. E, enquanto orávamos, fomos inundadas por uma paz inexplicável.

A oração pode não ter resolvido o problema, mas evitou o caos que resultaria de acumular mais mágoa, confusão e oportunidades de criar ressentimento. Removeu o incômodo e nos abriu à graça. E, sem dúvida, criou uma atmosfera de paz entre nós. Não sei se tudo isso seria possível de qualquer outra maneira.

O Pai-Nosso daquele dia preparou meu coração para algo que eu nem sabia que estava por vir. A melhor hora de perdoar é antes de sermos ofendidos.

A segunda melhor hora de perdoar é neste exato momento.

É por isso que quero incorporar a todos os meus dias pelo menos uma maneira melhor de perdoar. Isso é progredir. É empenhar-se em amadurecer.

Maturidade não é a ausência de dificuldades. Maturidade é a evidência de que uma pessoa permitiu que as dificuldades atuassem a seu favor e não contra elas.

Normalmente, só pensamos no que as adversidades nos tiram. A maturidade nos ajuda a ver como as adversidades podem nos dar o que está faltando no nosso desenvolvimento. A maturidade nos ajuda a ser mais autoconscientes. A maturidade nos ajuda a processar as coisas com perspectivas mais saudáveis. A maturidade nos prepara para relacionamentos mais saudáveis. E a maturidade tem uma profunda empatia pelos outros e uma grande paciência para imperfeições, reduzindo nossa tendência a nos ofender.

Tudo isso é muito maior do que imaginamos. E acho que é por isso que Jesus deu tanta ênfase à confissão e ao perdão quando nos ensinou a orar.

Como podemos colocar isso em prática? Preciso de uma maneira de continuar incorporando essa oração e as instruções de Deus na minha vida para não recair nos velhos padrões de pensamento e emoções não saudáveis.

Veja como podemos ativar o processo de confissão e perdão todos os dias, usando a Palavra de Deus como nosso guia. Escolha um versículo da Bíblia sobre um tema que se aplica a uma dinâmica de um relacionamento que você está trabalhando para melhorar. A seguir, proponho uma compilação de versículos que você pode usar para começar.

Pegue um diário com bastante espaço para realizar os seguintes passos:

Desenhe um quadrado grande o suficiente para escrever o versículo no centro.

Na parte de cima do quadrado, escreva o tema do versículo.

Na parte de baixo do quadrado, escreva o que seria o contrário do tema.

Trace uma linha horizontal dividindo ao meio o lado esquerdo do quadrado. Na parte de cima, escreva o que Deus quer que você faça em resposta ao versículo.

Na parte de baixo, escreva o que o inimigo quer que você faça em resposta ao versículo.

No lado direito do quadrado, anote as palavras a seguir e deixe um espaço para escrever algumas linhas abaixo de cada palavra:

- PROGRESSO: Em quais áreas da minha vida estou progredindo em relação a esse versículo?
- RESISTÊNCIA: Em qual situação estou resistindo a praticar esse versículo?
- DESVIO: Em qual situação (se houver) estou me desviando desse versículo?
- REGRESSÃO: Em que área da minha vida estou me rebelando a esse versículo?
- CONFISSÃO: Agora já estou ciente de algumas confissões que preciso fazer. Enquanto as anoto, pedirei a Deus que me ajude a ter humildade no processo.

- **PERDÃO:** Quem não está praticando esse versículo comigo? Essa é uma oportunidade de perdão. Perdoar não justifica o comportamento da pessoa, mas me livra de prender-me ao rancor.

O que você confessou e o perdão que expressou podem se transformar em progresso. E, assim, o círculo é fechado.

Descobri que, com isso, posso fazer com que as dificuldades atuem a meu favor, não contra mim. Conforme me conscientizo do que preciso confessar e das oportunidades de praticar o perdão, vou amadurecendo. Atualmente, sou uma esposa, mãe, amiga e filha melhor. Sinceramente, sou uma pessoa melhor até para pessoas que eu não conheço, mas com quem interajo no meu dia a dia.

Veja um exemplo do meu diário:

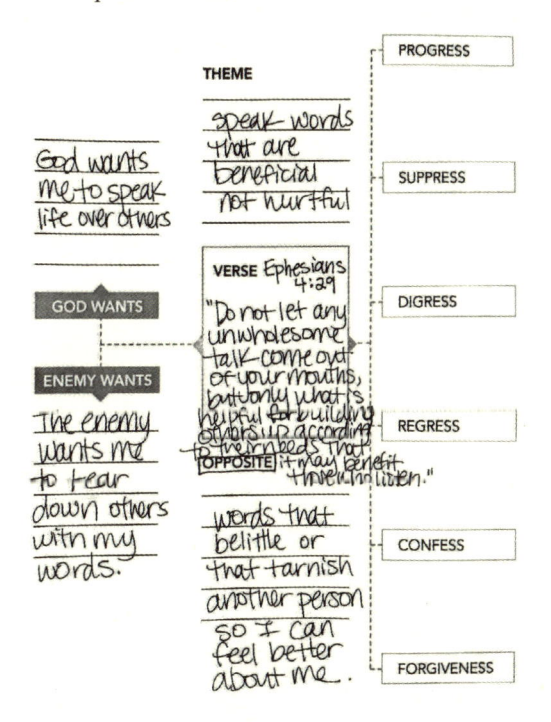

THEME

God wants me to speak life over others — speak words that are beneficial not hurtful → PROGRESS / SUPPRESS

GOD WANTS

VERSE Ephesians 4:29 "Do not let any unwholesome talk come out of your mouths, but only what is helpful for building others up according to their needs, that it may benefit those who listen." → DIGRESS

ENEMY WANTS

The enemy wants me to tear down others with my words. — OPPOSITE — words that belittle or that tarnish another person so I can feel better about me. → REGRESS / CONFESS / FORGIVENESS

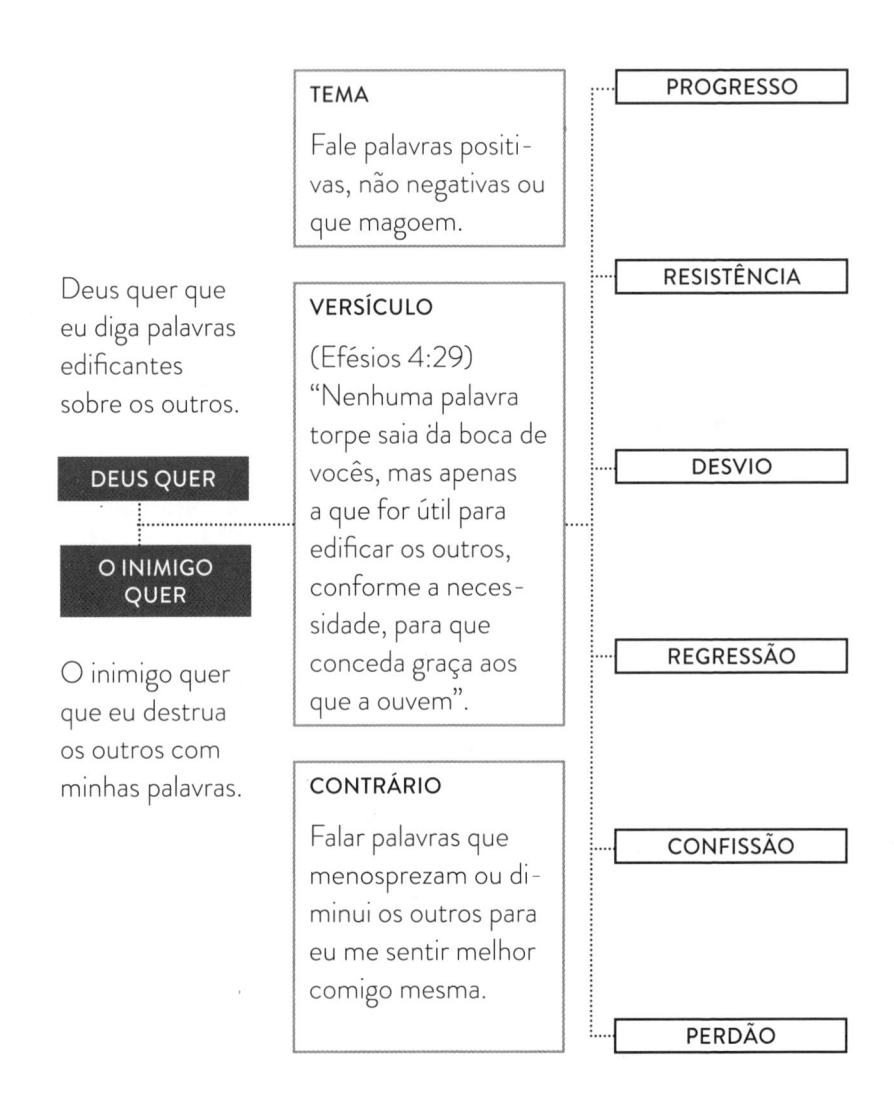

	TEMA	PROGRESSO
	Fale palavras positivas, não negativas ou que magoem.	
Deus quer que eu diga palavras edificantes sobre os outros.	**VERSÍCULO**	RESISTÊNCIA
DEUS QUER	(Efésios 4:29) "Nenhuma palavra torpe saia da boca de vocês, mas apenas a que for útil para edificar os outros, conforme a necessidade, para que conceda graça aos que a ouvem".	DESVIO
O INIMIGO QUER		
O inimigo quer que eu destrua os outros com minhas palavras.		REGRESSÃO
	CONTRÁRIO	CONFISSÃO
	Falar palavras que menosprezam ou diminui os outros para eu me sentir melhor comigo mesma.	PERDÃO

Veja alguns versículos para começar:

Romanos 12:2	Gálatas 6:1	Tiago 4:11
Mateus 5:8	Mateus 18:15	Lucas 14:11
Efésios 4:29	Tiago 1:19-20	Efésios 4:1-2
Colossenses 3:2	Tiago 4:10	

Antes de nos despedirmos, gostaria de lhe contar uma história que mudou para sempre minha visão sobre o perdão, especialmente quando a dinâmica impossibilita o relacionamento.

Temos alguns momentos em nossa vida que só depois de muito tempo percebemos que fomos marcados por eles. Outros tocam tão fundo em nosso coração que reconhecemos imediatamente esses momentos inesquecíveis. Diria que a experiência que tive em Israel, alguns anos atrás, se encaixa nas duas categorias.

Sempre adorei ir a Israel, mas dessa vez não foi para estudar o país como das outras vezes. Dessa vez meu interesse era nas pessoas. Tive a oportunidade de participar de algumas negociações de paz que incluíram mulheres que achavam que a paz não era possível. Essas mulheres sabiam como é sentir a dor da perda, sabiam como é sentir a mais profunda mágoa e sabiam como é ser ferida das formas mais dolorosas.

Elas estavam divididas em suas crenças religiosas, suas narrativas nacionais e sua política. Seus entes queridos foram mortos, alguns lutando por suas crenças e outros pegos no fogo cruzado.

Elas perderam filhos, irmãos, irmãs, mães, pais, filhas e maridos.

Olhei dentro dos olhos escuros delineados pela tristeza da mulher sentada ao meu lado, nossos mundos, aparentemente, não eram nada parecidos. Ela usava uma burca, e eu usava jeans e uma faixa na cabeça, não falávamos com o mesmo sotaque, não frequentávamos o mesmo tipo de local de adoração e, também, não comíamos os mesmos tipos de comida e nem conversávamos sobre as mesmas coisas com nossos amigos.

Ela segurava uma foto dobrada na mão. Com enorme tristeza, ela devolveu meu olhar. "Ela era minha única filha. Ela era linda. Levou dois tiros". Estendi a mão e peguei na mão dela. Ela mostrou a foto e fiquei chocada ao ver como sua filha era jovem.

A mulher sentada do outro lado tinha uma narrativa totalmente diferente sobre as mesmas questões. Ela usava uma peruca e uma saia que quase chegava aos tornozelos.

Ela segurava uma pequena moldura na mão. Com enorme tristeza, e devolveu meu olhar. A mulher tinha perdido o marido. Estendi a mão e peguei na mão dela.

Diferenças como essas criavam fronteiras espalhadas pela sala. Fronteiras que remontavam gerações.

E lá estávamos nós, de mãos dadas em um círculo de mulheres divididas, mas unidas por nossas lágrimas. Todas nós tínhamos passado por uma perda profunda e devastadora.

E, na comunhão de nossa perda, encontramos uma paz que outros consideravam impossível. Não estávamos lá para resolver problemas políticos. Não estávamos lá para debater quem estava certo. Só estávamos lá para conversar como seres humanos. Como mulheres. Como irmãs na tristeza e no pesar.

Paramos para ouvir e conversamos sem pressa. E, apesar da desilusão, das perguntas sem resposta e dos pontos de vista diferentes sobre o que aconteceu e o por quê, também havia um desejo de ver além de nossas diferenças. Depois que todas nós falamos, desfizemos o círculo e fomos para a cozinha. Passamos o resto da tarde fazendo geleia de frutas juntas, mexendo e misturando e incluindo algo muito mais doce do que o açúcar e as frutas.

Um analista político poderia dizer que não contribuímos muito para a paz mundial naquele dia, mas ele estaria errado. Eu só posso falar por mim, no entanto, aquele dia, deixou uma grande marca no meu coração. E volta e meia me lembro da lição que aprendi naquele dia.

As lágrimas da perda têm um enorme potencial de unir as pessoas.

Vi uma enorme beleza naquele encontro, mas a dor também tem um lado brutal.

É quando não permitimos que a dor aumente nossa compaixão para com os outros e nos convencemos de que os outros querem nos prejudicar. Não estendemos a mão com compaixão, mas partimos para o ataque, multiplicando a mágoa que nos infligiram e espalhando-a ao nosso redor.

Xingamos outros motoristas no trânsito, somos grosseiros com o atendente que errou nosso pedido no restaurante, falamos mal dos outros para acharem que somos melhores do que somos e fazemos de tudo para provar que os outros estão errados.

Mostre-me um comentário ofensivo, sarcástico ou desdenhoso nas redes sociais e eu posso apostar que a pessoa que o escreveu está sofrendo com uma perda. E a última coisa no mundo que vai curá-la é um contra-ataque vindo de nós. Se a dor prendeu a pessoa nesse lugar, jogar mais dor em cima dela não a ajudará a sair e encontrar um lugar melhor. Ter compaixão por sua perda e graça por sua dor não valida nem justifica o que a pessoa diz, apenas só respeita o fato de que ela é mais do que um comentário maldoso, e você pode ser a única pessoa na vida dela que tem a chance de ajudar e a coragem de se importar.

A última atividade daquele dia com as mulheres em Israel foi uma votação para decidir quem receberia o dinheiro da venda da geleia que tínhamos feito. Tínhamos feito muitos potes de geleia e o dinheiro ajudaria muito. Todas as mulheres presentes tinham suas necessidades e todas poderiam ter argumentado que tinham direito ao dinheiro. No entanto, como tivemos a chance de nos conhecer naquele dia por meio das lágrimas de nossa dor compartilhada, votamos em quem mais precisava do dinheiro. As mulheres de burca receberiam o dinheiro. A votação foi unânime. Ninguém proferiu a palavra perdão. Ninguém precisou. O perdão estava lá e todas nós sabíamos.

Mais do que uma vitória em uma situação isolada, foi um voto pelo que a compaixão e o perdão podem realizar para a humanidade. Ninguém foi declarado certo ou errado e o que aquele grupo fez foi simplesmente aplicar compaixão onde a compaixão se fazia necessária. Foi o mais belo sermão que já vi sobre o poder de Deus.

E, se foi possível para elas, com certeza é possível para mim e para você.

Jesus não exemplificou o perdão só quando nos ensinou a orar. O perdão foi a mensagem de Sua vida e foi a declaração de Sua morte quando Ele proferiu: "*Pai, perdoa-lhes, pois eles não sabem o que fazem*". E, ainda mais do que isso, é a proclamação de cada alma salva: "Eu fui perdoado, portanto, devo perdoar".

Seria ótimo se eu e você estivéssemos juntos à mesa cinza agora. A essas alturas, acho que não teríamos muito mais a dizer. Eu, provavelmente, lhe daria um abraço e colocaria um bilhete na sua mão. É uma mensagem que escrevi só para você: "A beleza do perdão". (Você a encontrará na próxima página.) Depois de nos despedir, vou imaginar você lendo e sorrindo.

Nós sobrevivemos. E agora podemos continuar vivendo. Realmente vivendo. Porque sabemos que o segredo da cura é o perdão.

A BELEZA

DO PERDÃO

PERDOAR É: Decidir que as pessoas que o machucaram não têm mais o poder de restringir sua vida, rotular quem você é ou projetar em você as mentiras que elas acreditam sobre si mesmas.

Em algum momento de suas vidas, elas se machucaram. Elas sentiram muita dor. Elas não são necessariamente pessoas más, todavia, é bem provável que sejam **PESSOAS NÃO CURADAS**. Quando as pessoas têm uma ferida profunda que tentam proteger, elas tendem a expressar a dor dessa ferida infeccionada.

Cabe a você não se deixar definir pela ofensa nem se deixar restringir pela pequenez da **AMARGURA**.

A soma total de sua vida incrível e sem igual não deve ser reduzida às restrições da mágoa. **DEUS O CRIOU** como um ser encantador, belo, alegre e radiante e você não deve deixar que Sua criação seja maculada por alguém que está perdido. Você não deve carregar o fardo ou repetir o roteiro das mentiras nas quais a pessoa acreditou e tentou projetar em você.

Você tem muito mais a fazer do que ficar paralisado pela raiva, atormentado pelo ressentimento ou reprimido pelo medo. Cresça na **GRAÇA DE DEUS** oferecendo-a com generosidade e aceitando-a sem restrições.

Levante as mãos ao céu em vitória e declare: "Sou **LIVRE PARA PERDOAR** para que eu possa viver!"

Perdoe uma vez, duas vezes, setenta vezes sete. Acredite que um dia você irá ao **CÉU** e faça disso um fato inegável.

A BELEZA DO PERDÃO

A mensagem de perdão que você ousa declarar é a prova de **JESUS EM VOCÊ** que nenhuma alma pode negar. Cante-a como um hino que a pessoa que o magoou não pode calar. Espalhe-a como confete, dando cor, luz e vida à monotonia de apenas sobreviver. Libere-a como a fragrância fantástica que todos adoram e sempre querem mais.

Agora, pouse os dedos sobre seu pulso. Está sentindo? É o seu coração batendo, bombeando, desejando que você siga avante e para o alto. Seu futuro **É PLENO DE POSSIBILIDADES** e de novas alegrias que você não quer deixar de viver.

Permita-se dançar aquela música... você sabe, aquela que, quando o ritmo acelera, você simplesmente não consegue ficar parado. E, mesmo se não for uma canção de louvor, **CANTE PARA JESUS.**

Dance! E cante! É hora de se mexer e seguir em frente. Essa, meu amigo, é a **BELEZA DO PERDÃO.**

UMA JORNADA PELO QUE A BÍBLIA DIZ SOBRE O PERDÃO

VAMOS SER SINCEROS. Não costumamos ser muito bíblicos quando estamos emocionalmente feridos. Quando as dificuldades de um relacionamento começam a puxar meu coração para a frustração e para longe do perdão, quando deparo com obstáculos e minhas emoções conturbadas ameaçam transbordar e criar todo tipo de caos, preciso me lembrar de abrir a Bíblia antes de abrir a boca. Mas pode ser demais tentar pensar em todos os versículos e passagens que se aplicam a uma situação difícil quando estou no olho do furacão.

É bom ter algo já pronto para consultar quando me vejo precisando de uma dose de sabedoria e uma nova perspectiva.

Pensando nisso, compilei as escrituras que pesquisei sobre o perdão para sabermos o que Deus deseja que façamos ao lidar com as complexidades das relações humanas.

A Palavra de Deus me ajuda a derrubar todas as minhas justificativas para continuar brava, provar que estou certa, chafurdar no rancor e agir como o inimigo quer. É possível viver de outro jeito. É o que eu desejo, contudo, preciso permitir que a força de Deus atue em mim. Para receber mais de Sua força, tenho de abrir espaço para que Sua verdade encha meu coração, minha mente e minha boca, assim, antes de nós partirmos juntos nessa jornada pela Bíblia, me ajoelho diante do Senhor pedindo que Ele me transforme.

A humildade atrai a força de Deus.

A arrogância anula a força de Deus.

Na Bíblia, lemos que: *"Em sua presunção o ímpio não o busca; não há lugar para Deus em nenhum dos seus planos"* (Salmo 10:4).

Não estou dizendo isso para condenar o que deixamos de fazer no passado, mas sim para iluminar as possibilidades adiante. As convicções do Senhor ajudam a transformar a maneira como processamos, agimos, reagimos, falamos e nos relacionamos. Não é um fardo para dificultar a nossa vida, muito pelo contrário, é o caminho para a liberdade.

Em 2 Coríntios 3:17, as Escrituras nos prometem: *"Ora, o Senhor é o Espírito e onde está o Espírito do Senhor ali há liberdade"*. Não sei quanto a você, mas eu quero essa liberdade e a transformação que a Palavra de Deus oferece a mim e aos meus relacionamentos. Então, vamos começar.

Eis o que a Bíblia diz sobre o perdão. Deus nos ensina a perdoar porque fomos perdoados por Ele:

> *"Suportem-se uns aos outros e perdoem as queixas que tiverem uns contra os outros. Perdoem como o Senhor lhes perdoou."*
> *(Colossenses 3:13)*

> *"Sejam bondosos e compassivos uns para com os outros, perdoando-se mutuamente, assim como Deus os perdoou em Cristo"*
> *(Efésios 4:32)*

O perdão é uma parte da oração que Jesus nos ensinou para rezarmos todos os dias:

> *"Vocês, orem assim: 'Pai nosso, que estás nos céus! Santificado seja o vosso nome. Venha a nós o vosso Reino; seja feita a tua vontade, assim na terra como no céu. O nosso pão nosso de cada dia nos dai hoje. Perdoai as nossas ofensas, assim como perdoamos aos nossos que nos tem ofendido. E não nos deixes cair em tentação, mas livrai-nos do mal,*

pois, se perdoarem as ofensas uns dos outros, o Pai celestial também perdoará vocês. Mas, se não perdoarem uns aos outros, o Pai celestial não perdoará as ofensas de vocês".
(Mateus 6:9–15)

Há uma inegável relação entre o que realmente acreditamos ser verdade sobre o perdão de Deus e a nossa disposição de estender o perdão aos nossos irmãos. Charles Spurgeon disse: "Ser perdoado é tão doce que o mel é insípido em comparação. Porém, há algo ainda mais doce: *perdoar*. Como é mais abençoado dar do que receber, perdoar é uma experiência mais elevada do que ser perdoado".[11]

Sei que pode ser terrivelmente difícil perdoar e pode parecer um dos mais injustos de todos os mandamentos de Deus. No entanto, devemos nos lembrar de quem está nos pedindo para perdoar. Deus é o Pai da compaixão e senhor de todo o consolo. Portanto, conforme exercitamos o perdão nas complexidades dos relacionamentos nos quais fomos profundamente feridos, e, talvez, até abusados, o mandamento de Deus para perdoar sempre traz consigo Sua compaixão e consolo.

> *"Bendito seja o Deus e Pai de nosso Senhor Jesus Cristo, Pai das misericórdias e Deus de toda consolação, que nos consola em todas as nossas tribulações, para que, com a consolação que recebemos de Deus, possamos consolar os que estão passando por tribulações. Pois assim como os sofrimentos de Cristo transbordam sobre nós, também por meio de Cristo transborda a nossa consolação."*
> *(2 Coríntios 1:3–5)*

Ele sabe que você foi ferido. Ele cuidará do que quebrou em você. O rancor nunca curou ninguém. O rancor nunca amenizou a dor de ninguém. O rancor nunca consertou um coração partido. Mas e o Deus que ao mesmo tempo dá e exige o perdão? Ele faz tudo isso. Ele é o nosso Curador.

> *"Só ele cura os de coração quebrantado e cuida das suas feridas."*
> *(Salmo 147: 3)*

Deus não só nos cura como nos deu Seu Espírito para residir em nós e nos ajudar com nossas fraquezas. Quando o perdão parece impossível, podemos pedir ao Espírito que interceda por nós e nos ajude.

> *"Da mesma forma o Espírito nos ajuda em nossa fraqueza, pois não sabemos como orar, mas o próprio Espírito intercede por nós com gemidos inexprimíveis. E aquele que sonda os corações conhece a intenção do Espírito, porque o Espírito intercede pelos santos de acordo com a vontade de Deus. Sabemos que Deus age em todas as coisas para o bem daqueles que o amam, dos que foram chamados de acordo com o seu propósito."*
> *(Romanos 8:26–28)*

O perdão não significa que a pessoa que o feriu está livre das consequências de seu pecado, mas significa que recusamos o fardo de nos vingarmos, confiando que Deus executará Sua justiça com as medidas apropriadas de misericórdia. E o que dizer daquele que o feriu... abusou de você... violou os votos e as promessas que fez a você? O perdão não oferece a ele uma justificativa nem minimiza a dor que causou a você. Mas você fica livre de permitir que o ferimento lhe cause mais dor. Você já sofreu muito. Entregue a Deus e deixe espaço para Ele fazer o que só Ele pode fazer.

> *"Amados, nunca procurem vingar-se, mas deixem com Deus a ira, pois está escrito: "Minha é a vingança; eu retribuirei", diz o Senhor."*
> *(Romanos 12:19)*

Jesus foi tratado com injustiça e crueldade, mas não retaliou. Ele deixou a palavra final a Deus.

> *"Quando insultado, não revidava; quando sofria, não fazia ameaças, mas entregava-se àquele que julga com justiça."*
> *(1 Pedro 2:23)*

E devemos seguir os passos de Cristo.

"Para isso vocês foram chamados, pois também Cristo sofreu no lugar de vocês, deixando exemplo, para que sigam os seus passos."
(1 Pedro 2:21)

Mas quais são os parâmetros para situações complicadas nas quais sentimos que perdoar a pessoa só lhe dá acesso para continuar nos magoando? Precisamos entender que, embora o perdão seja uma ordem, a reconciliação nem sempre é possível.

"Façam todo o possível para viver em paz com todos."
(Romanos 12:18)

Entendo que fazer "todo o possível" sugere que nem sempre isso é possível. E ao mesmo tempo sugere que devo fazer o que eu puder para tornar isso possível. Os versos ao redor de Romanos 12:18 são muito instrutivos.

"Abençoem aqueles que os perseguem... Não os amaldiçoem.... Não sejam orgulhosos... Não sejam sábios aos seus próprios olhos... Não retribuam a ninguém mal por mal... Nunca procurem vingar-se."
(Romanos 12:14, 15–17, 19)

Mas, às vezes, o único jeito de viver em paz com algumas pessoas é lembrar que, embora o perdão seja ilimitado e incondicional...

Então Pedro aproximou-se de Jesus e perguntou: "Senhor, quantas vezes deverei perdoar a meu irmão quando ele pecar contra mim? Até sete vezes?" Jesus respondeu: "Eu digo a você: Não até sete, mas até setenta vezes sete".
(Mateus 18:21–22)

... a reconciliação é limitada e condicionada ao arrependimento, à disposição da pessoa de ser evangelizada e à sua humildade no processo de restauração. Quando as pessoas se arrependem, nosso perdão deve ser concedido mesmo se elas reincidirem na ofensa. O arrependimento é fundamental, porque elas estão no processo de aprender a pensar e agir de uma maneira diferente.

> *"Tomem cuidado. Se o seu irmão pecar, repreenda-o e, se ele se arrepender, perdoe-lhe. Se pecar contra você sete vezes no dia, e sete vezes voltar a você e disser: 'Estou arrependido', perdoe-lhe".*
> *(Lucas 17:3-4)*

Também devemos confortar o arrependido e não aumentar seu fardo durante seu processo de arrependimento.

> *"Se um de vocês tem causado tristeza, não a tem causado apenas a mim, mas também, em parte, para eu não ser demasiadamente severo com todos vocês. A punição que foi imposta pela maioria é suficiente. Agora, ao contrário, vocês devem perdoar-lhe e consolá-lo, para que ele não seja dominado por excessiva tristeza. Portanto, eu recomendo que reafirmem o amor que têm por ele. Eu escrevi com o propósito de saber se vocês seriam aprovados, isto é, se seriam obedientes em tudo. Se vocês perdoam a alguém, eu também perdoo; e aquilo que perdoei, se é que havia alguma coisa para perdoar, perdoei na presença de Cristo, por amor a vocês, a fim de que Satanás não tivesse vantagem sobre nós; pois não ignoramos as suas intenções."*
> *(2 Coríntios 2:5-11)*

Mantenha em mente que a reconciliação bíblica requer e é evidenciada por um arrependimento autêntico. Veja se a pessoa está buscando consertar a situação.

> *"Mas Zaqueu levantou-se e disse ao Senhor: "Olha, Senhor! Estou dando a metade dos meus bens aos pobres; e se de alguém extorqui alguma coisa, devolverei quatro vezes mais". (Lucas 19:8)*

Mas, caso se recusar a ouvir, seu ofensor não pode ser evangelizado, o que impedirá o processo de restauração, e você deve fazer o que Mateus 18:17 instrui: *"Trate-o como pagão ou publicano"*. Mas tenha cuidado para não interpretar este último versículo como "marginalizá-lo". A interpretação correta é que o relacionamento deve mudar da intimidade de um irmão ou irmã em Cristo, onde a confiança na maturidade da pessoa permite que ela tenha acesso e influência em sua vida, para um relacionamento mais de "testemunha missionária", com muito menos intimidade.

> *"Se o seu irmão pecar contra você, vá e, a sós com ele, mostre-lhe o erro. Se ele o ouvir, você ganhou seu irmão. Mas, se ele não o ouvir, leve consigo mais um ou dois outros, de modo que 'qualquer acusação seja confirmada pelo depoimento de duas ou três testemunhas'. Se ele se recusar a ouvi-los, conte à igreja; e, se ele se recusar a ouvir também a igreja, trate-o como pagão ou publicano. Digo a verdade: Tudo o que vocês ligarem na terra terá sido ligado no céu, e tudo o que vocês desligarem na terra terá sido desligado no céu."*
> *(Mateus 18:15–18)*

Jesus não expulsou o cobrador de impostos nem o pagão. Ele partiu o pão e conversou com eles e continuou a convocá-los para um caminho melhor.

E há momentos em que o perdão é necessário, mas a reconciliação é prejudicial, como quando um membro da comunidade tem permissão para continuar vivendo em pecado e ser uma influência negativa para a igreja. A palavra *expulsar* no versículo as seguir é usada no sentido de "remover". Não deixe que as escolhas que essas pessoas fizeram na vida o afetem ou se misturem às escolhas que você fez na vida até que elas se arrependam e não estejam mais vivendo ativamente em pecado.

> *"Mas agora estou escrevendo que não devem associar-se com qualquer que, dizendo-se irmão, seja imoral, avarento, idólatra, caluniador, alcoólatra ou ladrão. Com tais pessoas vocês nem devem comer."*
> *(1 Coríntios 5:11)*

E o versículo 13 diz: *"Expulsem esse perverso do meio de vocês"*.

Também há situações muito claras nas quais a reconciliação é proibida: quando as pessoas são abusivas, descontroladas e emocional, física e espiritualmente perigosas.

> *"Saiba disto: nos últimos dias sobrevirão tempos terríveis. Os homens serão egoístas, avarentos, presunçosos, arrogantes, blasfemos, desobedientes aos pais, ingratos, ímpios, sem amor pela família, irreconciliáveis, caluniadores, sem domínio próprio, cruéis, inimigos do bem, traidores, precipitados, soberbos, mais amantes dos prazeres do que amigos de Deus, tendo aparência de piedade, mas negando o seu poder. Afaste-se desses também."*
> *(2 Timóteo 3:1-5)*

Mas não saberia lhe dizer uma fórmula para saber exatamente onde estão os limites e para sempre saber quando se afastar de alguém. Tenho confiança de que você será conduzido a toda a verdade pelo Espírito Santo, como Jesus prometeu em João 16:13. De qualquer maneira, devemos viver em paz com todos e, se não pudermos fazer isso com essas pessoas por perto, precisamos impor limites para manter a paz e não nos abrir à amargura.

> *"Esforcem-se para viver em paz com todos e para serem santos; sem santidade ninguém verá o Senhor. Cuidem que ninguém se exclua da graça de Deus; que nenhuma raiz de amargura brote e cause perturbação, contaminando muitos."*
> *(Hebreus 12:14-15)*

Mas, independentemente do nosso posicionamento sobre a reconciliação, o perdão é o que Jesus nos dá, nos exemplifica e nos convoca a praticar. Não devemos desistir das pessoas.

> *"Sabemos que o conhecemos, se obedecemos aos seus mandamentos.... Aquele que afirma que permanece nele deve andar como ele andou.... Quem afirma estar na luz, mas odeia seu irmão, continua nas trevas. Quem ama seu irmão permanece na luz, e nele não há causa de tropeço."*
> *(1 João 2:3, 6, 9–10)*

Ao orar, devemos inspecionar nosso coração em busca de rancores e limpá-los com o perdão.

> *"E, quando estiverem orando, se tiverem alguma coisa contra alguém, perdoem-no, para que também o Pai celestial perdoe os seus pecados."*
> *(Marcos 11:25)*

Ao fazer nossa oferenda, também devemos averiguar nosso coração.

> *"Portanto, se você estiver apresentando sua oferta diante do altar e ali se lembrar de que seu irmão tem algo contra você, deixe sua oferta ali, diante do altar, e vá primeiro reconciliar-se com seu irmão; depois volte e apresente sua oferta."*
> *(Mateus 5:23–24)*

Somos chamados de embaixadores de Cristo, a quem foi dado o ministério da reconciliação entre Deus e os infiéis.

> *"Deus... nos reconciliou consigo mesmo por meio de Cristo e nos deu o ministério da reconciliação. Portanto, somos embaixadores de Cristo, como se Deus estivesse fazendo o seu apelo por nosso intermédio. Por amor a Cristo suplicamos: Reconciliem-se com Deus".*
> *(2 Coríntios 5:18, 20)*

E, para os fiéis, devemos ser embaixadores da unidade de Cristo para que o mundo que nos vê seja atraído à obra de Deus, ao amor de Jesus e à família dos fiéis. Tanto que, pouco antes de Jesus ir para a cruz, foi exatamente o que Ele rogou para os crentes: unidade!

> *"Minha oração não é apenas por eles. Rogo também por aqueles que crerão em mim, por meio da mensagem deles, para que todos sejam um, Pai, como tu estás em mim e eu em ti. Que eles também estejam em nós, para que o mundo creia que tu me enviaste. Dei-lhes a glória que me deste, para que eles sejam um, assim como nós somos um: eu neles e tu em mim. Que eles sejam levados à plena unidade, para que o mundo saiba que tu me enviaste, e os amaste como igualmente me amaste."*
> *(João 17:20-23)*

A Bíblia fala em grandes consequências para os que causam divisões e discórdia.

> *"Quanto àquele que provoca divisões, advirta-o uma primeira e uma segunda vez. Depois disso, rejeite-o. Você sabe que tal pessoa se perverteu e está em pecado; por si mesma está condenada."*
> *(Tito 3:10-11)*

Nossas palavras evidenciam o que temos em nosso coração.

> *"Pois a boca fala do que está cheio o coração."*
> *(Mateus 12:34)*

Devemos retirar de nosso coração a amargura, a ira, a raiva, a revolta, a calúnia e todas as formas de maldade para podermos refletir com nossas palavras e ações a beleza da bondade, da ternura e do perdão.

> *"Livrem-se de toda amargura, indignação e ira, gritaria e calúnia, bem como de toda maldade. Sejam bondosos e compassivos uns para com os outros, perdoando-se mutuamente, assim como Deus os perdoou em Cristo."*
> *(Efésios 4:31-32)*

Mas, às vezes, parece impossível seguir essa instrução. Como exatamente podemos fazer isso? Ao estudar essa questão, encontrei um trecho bastante esclarecedor em Efésios 3.

> *"Por essa razão, ajoelho-me diante do Pai, do qual recebe o nome toda a família nos céus e na terra. Oro para que, com as suas gloriosas riquezas, ele os fortaleça no íntimo do seu ser com poder, por meio do seu Espírito, para que Cristo habite no coração de vocês mediante a fé; e oro para que, estando arraigados e alicerçados em amor, vocês possam, juntamente com todos os santos, compreender a largura, o comprimento, a altura e a profundidade, e conhecer o amor de Cristo que excede todo conhecimento, para que vocês sejam cheios de toda a plenitude de Deus".*
> *(Efésios 3:14–19)*

É isto que eu quero para mim: ser preenchida com toda a plenitude de Deus para não sucumbir com tanta facilidade às ofensas cotidianas. E para poder praticar uma mensagem de perdão que evidencia o poder de Deus atuando *em* mim e Seu amor atuando *através* de mim.

Quanto mais nos abrimos a Deus, menos espaço temos para o egoísmo e a arrogância. Quanto mais conhecemos e seguimos os caminhos de Deus, mais humildes nos tornamos. Quanto mais humildes nos tornamos, mais rapidamente queremos nos submeter a Deus, resistir ao inimigo e garantir que as palavras que usamos contenham a sabedoria divina em vez de amargura e egoísmo.

> *"Com a língua bendizemos o Senhor e Pai e com ela amaldiçoamos os homens, feitos à semelhança de Deus. Da mesma boca procedem bênção e maldição. Meus irmãos, não pode ser assim!... Deus se opõe aos orgulhosos, mas concede graça aos humildes. Portanto, submetam-se a Deus. Resistam ao Diabo, e ele fugirá de vocês... Irmãos, não falem mal uns dos outros."*
> *(Tiago 3:9–10; 4:6–7, 11)*

Em Tiago 3:14-16 temos:

> *"Contudo, se vocês abrigam no coração inveja amarga e ambição egoísta, não se gloriem disso nem neguem a verdade. Esse tipo de*

> *"sabedoria" não vem dos céus, mas é terrena; não é espiritual, mas é demoníaca. Pois onde há inveja e ambição egoísta, aí há confusão e toda espécie de males".*

Devemos ser rápidos para ouvir, mas levar muito mais tempo para reagir.

> *"Meus amados irmãos, tenham isto em mente: Sejam todos prontos para ouvir, tardios para falar e tardios para irar-se."*
> *(Tiago 1:19)*

Quando falamos, devemos manter em mente:

> *"A resposta calma desvia a fúria, mas a palavra ríspida desperta a ira."*
> *(Provérbios 15:1)*

E, às vezes, é melhor simplesmente não dizer nada.

> *"Sem lenha a fogueira se apaga; sem o caluniador morre a contenda."*
> *(Provérbios 26:20)*

Acontece muito de Deus nos convocar para fazer algo que nos causa estranheza e nos parece contrário às nossas tendências humanas. Mas devemos manter a atitude de Cristo em nossos relacionamentos.

> *"Se por estarmos em Cristo nós temos alguma motivação, alguma exortação de amor, alguma comunhão no Espírito, alguma profunda afeição e compaixão, completem a minha alegria, tendo o mesmo modo de pensar, o mesmo amor, um só espírito e uma só atitude. Nada façam por ambição egoísta ou por vaidade, mas humildemente considerem os outros superiores a vocês mesmos. Cada um cuide, não somente dos seus interesses, mas também dos interesses dos outros. Seja a atitude de vocês a mesma de Cristo Jesus."*
> *(Filipenses 2:1–5)*

Não é difícil ver como foi a atitude de Cristo ao ser ferido, injustiçado ou insultado, retribuindo a crueldade com bondade. Mas nunca se esqueça de que nossos esforços para fazer o que Deus nos instrui serão notados por Deus e nos posicionarão para a bênção.

> *"Não retribuam mal com mal, nem insulto com insulto; ao contrário, bendigam; pois para isso vocês foram chamados, para receberem bênção por herança."*
> *(1 Pedro 3:9)*

E só será possível fazer isso se vivermos como alguém que realmente foi vivificado em Cristo.

> *"Portanto, já que vocês ressuscitaram com Cristo, procurem as coisas que são do alto, onde Cristo está assentado à direita de Deus. Mantenham o pensamento nas coisas do alto, e não nas coisas terrenas. Pois vocês morreram, e agora a sua vida está escondida com Cristo em Deus. Quando Cristo, que é a sua vida, for manifestado, então vocês também serão manifestados com ele em glória."*

> *"Assim, façam morrer tudo o que pertence à natureza terrena de vocês: imoralidade sexual, impureza, paixão, desejos maus e a ganância, que é idolatria. É por causa dessas coisas que vem a ira de Deus sobre os que vivem na desobediência, as quais vocês praticaram no passado, quando costumavam viver nelas. Mas, agora, abandonem todas estas coisas: ira, indignação, maldade, maledicência e linguagem indecente no falar. Não mintam uns aos outros, visto que vocês já se despiram do velho homem com suas práticas e se revestiram do novo, o qual está sendo renovado em conhecimento, à imagem do seu Criador. Nessa nova vida já não há diferença entre grego e judeu, circunciso e incircunciso, bárbaro e cita, escravo e livre, mas Cristo é tudo e está em todos."*

> *"Portanto, como povo escolhido de Deus, santo e amado, revistam-se de profunda compaixão, bondade, humildade, mansidão e paciência. Suportem-se uns aos outros e perdoem as queixas que tiverem uns contra os outros. Perdoem como o Senhor lhes perdoou. Acima de tudo, porém, revistam-se do amor, que é o elo perfeito."*
> *(Colossenses 3:1–14)*

Às vezes, o que nos impede de querer perdoar é achar que os "mocinhos" somos nós e os outros são os "bandidos". Somos nós que seguimos as regras, fizemos o que se esperava de nós e fizemos boas escolhas... mas fomos feridos pelas más escolhas dos outros. Apenas Deus conhece a história toda de tudo o que o nosso ofensor sofreu e que o levou a fazer as escolhas que fez. Isso não justifica o que ele fez. E, pode acreditar, eu sei disso porque senti na pele e descobri uma verdade bastante incômoda: se acharmos que somos melhores do que os outros, será quase impossível perdoá-los. Mas, se nos lembrarmos de que fomos perdoados por tantas ofensas, teremos mais chances de perdoar muitas ofensas.

> *"Pois todos pecaram e estão destituídos da glória de Deus."*
> *(Romanos 3:23)*

> *"Não julguem, para que vocês não sejam julgados. Pois da mesma forma que julgarem, vocês serão julgados; e a medida que usarem, também será usada para medir vocês."*
> *(Mateus 7:1–2)*

Sei que não é fácil. Até o apóstolo Paulo, ao escrever para a Igreja em Roma, admitiu a dificuldade de combater os desejos da carne.

> *"Assim, encontro esta lei que atua em mim: Quando quero fazer o bem, o mal está junto de mim. No íntimo do meu ser tenho prazer na Lei de Deus; mas vejo outra lei atuando nos membros do meu corpo, guerreando*

> *contra a lei da minha mente, tornando-me prisioneiro da lei do pecado que atua em meus membros."*
> *(Romanos 7:21-23)*

Contudo, Paulo também nos lembra que o amor de Cristo nos impele e, como pertencemos a Cristo, é possível viver como uma nova criação.

> *"Pois o amor de Cristo nos constrange, porque estamos convencidos de que um morreu por todos; logo, todos morreram. E ele morreu por todos para que aqueles que vivem já não vivam mais para si mesmos, mas para aquele que por eles morreu e ressuscitou. De modo que, de agora em diante, a ninguém mais consideramos do ponto de vista humano. Ainda que antes tenhamos considerado Cristo dessa forma, agora já não o consideramos assim. Portanto, se alguém está em Cristo, é nova criação. As coisas antigas já passaram; eis que surgiram coisas novas!"*
> *(2 Coríntios 5:14-17)*

É importante lembrar que a nossa luta não é contra pessoas de carne e osso. Não são eles contra nós e nós contra eles. Somos todos nós contra o verdadeiro inimigo: o Diabo. E não fomos deixados sozinhos para travar a verdadeira batalha contra o mal.

> *"Finalmente, fortaleçam-se no Senhor e no seu forte poder. Vistam toda a armadura de Deus, para poderem ficar firmes contra as ciladas do Diabo, pois a nossa luta não é contra seres humanos, mas contra os poderes e autoridades, contra os dominadores deste mundo de trevas, contra as forças espirituais do mal nas regiões celestiais."*

> *"Por isso, vistam toda a armadura de Deus, para que possam resistir no dia mau e permanecer inabaláveis, depois de terem feito tudo. Assim, mantenham-se firmes, cingindo-se com o cinto da verdade, vestindo a couraça da justiça e tendo os pés calçados com a prontidão do evangelho da paz. Além disso, usem o escudo da fé, com o qual vocês poderão*

apagar todas as setas inflamadas do Maligno. Usem o capacete da salvação e a espada do Espírito, que é a palavra de Deus. Orem no Espírito em todas as ocasiões, com toda oração e súplica; tendo isso em mente, estejam atentos e perseverem na oração por todos os santos." (Efésios 6:10-18)

E, para terminar, eu simplesmente adoro este versículo simples que nos lembra de deixar o Senhor guiar nosso coração:

"O Senhor conduza o coração de vocês ao amor de Deus e à perseverança de Cristo."
(2 Tessalonicenses 3:5)

Sou profundamente grata pela Palavra de Deus, que nos dá as bases sólidas da verdade à qual podemos recorrer quando as incertezas dos relacionamentos difíceis nos fazem querer agir e reagir guiados pelas nossas emoções. Mas agora gostaria de sair do meu papel de professora de estudos bíblicos e estender a mão sobre a mesa, pegar na sua mão como uma amiga e dizer olhando nos seus olhos que eu sei que nada disso é fácil. Sei que, nesta conversa sobre o perdão, trouxe à tona memórias de algumas das maiores dificuldades pelas quais você já passou em toda a sua vida. Saiba que tudo o que eu disse aqui foi dito com empatia, ternura, graça e oração pela sua jornada. A única coisa que peço em troca é que você também ore por mim. Como disse, estamos nessa juntos.

AS PERGUNTAS MAIS FREQUENTES QUE FAZEM À LYSA SOBRE O PERDÃO

"Às vezes, a parte mais difícil do perdão é perdoar a mim mesmo. Como eu faço isso?"

Sei muito bem o que você quer dizer com essa pergunta. Pode ser muito difícil superar os sentimentos de vergonha e arrependimento pelas escolhas que fizemos e pelas ações que gostaríamos de poder voltar no tempo para mudar. Mas, ao pesquisar o conceito de perdoar a nós mesmos, fiquei um pouco surpresa ao constatar que a Bíblia não contempla essa questão. Comecei a me dar conta de que, assim como não podemos atingir a salvação sem Deus, não podemos conceder o perdão a nós mesmos. O perdão começa com Deus.

Como não somos o juiz, não podemos nos perdoar. Quando achamos que não estamos conseguindo nos perdoar, o que realmente está acontecendo é que não estamos conseguindo nos abrir para o perdão de Deus e viver totalmente em Seu perdão. O inimigo de nossa alma quer que vivamos em uma condenação que não vem de Deus. E ele quer que carreguemos uma vergonha tão paralisante a ponto de não querermos testemunhar a obra consumada de Jesus na cruz. Em Apocalipse 12:11, as Escrituras nos lembram que o inimigo é derrotado pelo sangue do Cordeiro e pela palavra do nosso testemunho. O Satanás fará todo o possível para tentar nos impedir de compartilhar um testemunho do perdão e da redenção de Jesus.

Jesus deu a própria vida para perdoar nossos pecados, o que não constitui apenas *uma* parte da fé cristã. O perdão é a *base* da fé cristã. O perdão pelos nossos pecados não é apenas uma esperança que nutrimos, mas é a realidade mais grandiosa de todos aqueles que escolhem receber a salvação aceitando Jesus como o Senhor de sua vida.

Muitas vezes, o que nos impede de caminhar como pessoas perdoadas é nossa dificuldade de lidar com nossos sentimentos de vergonha e arrependimento. São fardos muito pesados para carregar. Sou uma profunda conhecedora da vergonha e do arrependimento. Carreguei o peso de saber que tenho câncer. Carreguei o peso de um coração partido. Mas o peso da vergonha é de longe o maior que já conheci.

Quando eu tinha vinte e poucos anos, decidi fazer um aborto. E depois desejei, com todas as minhas forças, poder voltar no tempo e mudar essa decisão. Mas era impossível. Saber que nada podia ser feito para reverter a decisão me encheu de tristeza. Sempre que algo me fazia pensar no bebê, eu me horrorizava com a mentira da qual a clínica de aborto me convenceu. Eles disseram que eram apenas células se dividindo. Mas depois, quando soube que a vida começa na concepção, fiquei arrasada.

Toda vez que ouvia alguém criticando o aborto, me enchia de vergonha. Posso dizer que nunca pensei que um dia estaria livre desse sentimento. Era como viver em uma prisão perpétua nas garras da mistura mais dolorosa de arrependimento, luto e perda.

Eu dizia: "Não posso me perdoar por isso". O que queria dizer era: "Não acho que o perdão seja possível para uma pessoa como eu. E acho que nunca vou me livrar da vergonha do que eu fiz".

Três coisas me ajudaram a me abrir completamente para o perdão de Deus e me livrar do peso condenatório da vergonha:

- Ao ler o Salmo 32:5, percebi que precisava de um momento marcante para confessar, me arrepender e pedir perdão a Deus: "Então reconheci diante de ti o meu pecado e não encobri as minhas culpas. Eu disse: 'Confessarei as minhas transgressões', ao Senhor, e tu perdoaste a culpa do meu pecado". Eu não tinha como fazer isso sozinha, porque queria alguém, uma testemunha, que pudesse me lembrar para sempre de que eu tinha pedido perdão a Deus e que, portanto, fui perdoada. Também disse em voz alta que recebi o perdão de Deus, para gravar em minha memória o momento em que reconheci Sua dádiva de misericórdia. Como J. I. Packer escreveu: "É verdade que o perdão está, pela fé, somente em Cristo, e não nas obras, mas o arrependimento é o fruto da fé e não há mais realidade em uma profissão de fé do que a realidade do arrependimento que a acompanha".[12]
- Precisei lembrar que a vergonha e a acusação vêm do inimigo. E o inimigo adora manter as pessoas reféns da vergonha, deixando o que elas fizeram oculto na escuridão. Eu tinha muito medo de revelar o que fiz, mas disse a Deus que contaria a minha história se visse uma jovem correndo o risco de cometer o mesmo erro que eu. Quando eu, finalmente, deixei que Deus usasse minha dolorosa decisão para o bem, comecei a ver vislumbres de redenção. Ver Deus pegar o que o inimigo pretendia usar para o mal e usá-lo para o

- bem não tirou minha dor, mas começou a curar minha vergonha.
- Deixei minha experiência enternecer meu coração. Conhecer a sensação de ter cometido um erro terrível me permitiu ver com mais compaixão os erros terríveis dos outros. Vale lembrar aqui que não devemos justificar comportamentos injustificáveis em nome da compaixão. Mas, ao mesmo tempo, ter uma atitude de compaixão nos ajuda a não menosprezar os outros. Não quero que nenhum outro ser humano tenha de carregar o peso terrível da vergonha e eu, provavelmente, não seria tão sensível aos outros como sou agora se eu mesma não tivesse carregado esse peso.

A vergonha não é de Deus. A condenação não é de Deus. Confesse o que você fez. Peça o perdão de Deus. Receba Seu perdão. Caminhe em Sua liberdade. Viva o maior testemunho da verdade que existe... a redenção.

> "Os relacionamentos costumam envolver o perdão para se manter. Mas como saber se meu relacionamento chegou a um ponto em que deixou de ser saudável? No capítulo sobre limites, você falou sobre viabilizar, ou facilitar, comportamentos disfuncionais. Também já ouvi falar do termo codependência. O que caracteriza a codependência e como esse problema transparece em relacionamentos não saudáveis?"

Podemos e devemos ter empatia pelo sofrimento de uma pessoa querida. Mas, como falamos no capítulo sobre limites, quando toleramos o mau comportamento – especialmente quando é recorrente –, contemporizando a dor que nos é causada e sonhando que um dia a pessoa vai recuperar a razão e nos ver como heróis, estamos em um território perigoso. Na maioria das vezes, acabamos viabilizando uma disfunção. Neste ponto, no jargão da psicologia, começamos a ouvir termos como codependência.

Vejamos uma citação que reflete o problema com grande precisão:

> *"Outro efeito da ausência de limites adequados é quando você quer ajudar a resolver os problemas do outro a ponto de abrir mão de si mesmo. É natural ter empatia e simpatia por alguém, mas os codependentes começam a colocar o outro acima de si mesmos. Eles têm necessidade de ajudar e podem se sentir rejeitados se o outro não quiser ajuda. Eles continuam tentando ajudar e consertar o outro, mesmo quando já ficou claro que a pessoa não está seguindo seus conselhos."*[13]

Fiquei apavorada com o termo codependente quando o ouvi pela primeira vez porque os rótulos podem soar definitivos, permanentes e críticos. Mas, ao estudar a dinâmica dos relacionamentos nos quais limites apropriados não são definidos ou impostos, percebi que termos como esses podem esclarecer muito o problema. Só um psicólogo pode desvendar as complexidades de um diagnóstico, mas as definições de *codependência* podem ser bastante reveladoras.

Veja três definições que considero especialmente importantes:

- A codependência é caracterizada por fazer parte de um relacionamento disfuncional e unilateral, no qual uma pessoa depende da outra para atender a praticamente todas as suas necessidades emocionais e de autoestima. Também descreve um relacionamento que permite que o outro mantenha um comportamento irresponsável, dependente ou insatisfatório.[14]

- Muitos codependentes minimizam as próprias necessidades enquanto se preocupam excessivamente com as necessidades, do outro. A codependência pode ocorrer em qualquer tipo de relacionamento, incluindo família, trabalho, amizades e relacionamentos românticos, entre colegas ou membros de uma comunidade.[15]
- Pode acontecer de, na tentativa de se recuperar da codependência, um indivíduo passar de excessivamente passivo ou generoso a excessivamente agressivo ou egoísta.[16] Muitos psicólogos sustentam que encontrar um equilíbrio por meio de uma assertividade saudável (ou seja, que abre espaço para ser uma pessoa prestativa ao mesmo tempo que se engaja em um comportamento prestativo saudável) leva a pessoa a verdadeiramente se recuperar da codependência e que se tornar extremamente egoísta, agressivo ou uma pessoa viciada em conflitos não leva à recuperação.[17]

Vale ressaltar que não estou apresentando essas definições para sugerir que você as use para diagnosticar seus relacionamentos difíceis. E muito menos para serem usadas como armas contra os outros. A ideia é usá-las para ver que relacionamentos saudáveis requerem pessoas saudáveis com um entendimento saudável de suas capacidades e com a habilidade de definir limites para atingir um equilíbrio, em vez de recorrer a atitudes extremas. As pessoas devem buscar pensamentos, padrões, comportamentos, ações e reações saudáveis para si, o que, por sua vez, ajuda o relacionamento a se fortalecer.

Em geral, o enfraquecimento de um relacionamento se deve a algum componente não saudável. Identificar os sinais não saudáveis no relacionamento e quais desses sinais são ou não responsabilidade sua são dois dos maiores benefícios de definir limites saudáveis.

ALGUMAS OBSERVAÇÕES IMPORTANTES SOBRE O ABUSO

Em algumas ocasiões neste livro, falei que é importante tomar cuidado para não justificar o abuso ou o comportamento disfuncional. Você deve imaginar que, sabendo das minhas experiências pessoais com o abuso, meu coração é muito sensível e compassivo para com qualquer pessoa que esteja enfrentando essa dura realidade. Achei por bem incluir essas informações para esclarecer o que o abuso é, para dar dicas de como buscar ajuda se você estiver em uma situação de abuso e para expandir sua compaixão caso você não estiver vivendo uma situação como essa.

Em um artigo da *Psychology Today*[18], encontrei a seguinte definição de abuso:

> *"O abuso familiar é caracterizado por comportamentos sutis e complexidade emocional. Sempre há uma dinâmica de poder e controle na qual o abuso emocional e físico é perpetuado.*
>
> *O abuso pode se manifestar como abuso físico (jogar objetos, empurrar, agarrar, estrangular, estapear, esmurrar, arranhar, hematomas, queimaduras, cortes, feridas, ossos quebrados, fraturas, lesões internas, sequelas permanentes ou até assassinato), sexual (flertes, convites, toques indesejados ou inapropriados, beijar, acariciar partes sexuais, sexo oral ou qualquer tipo de atividade sexual forçada) ou emocional (negligência, assédio, humilhação, ameaça, trapaça, chantagem, punições injustas,*

> *tarefas cruéis ou degradantes, confinamento, abandono)."*

E o que a Bíblia diz sobre o abuso e como perdoar situações como essas? Vejamos o que Paulo escreveu a Timóteo:

> *"Saiba disto: nos últimos dias sobrevirão tempos terríveis. Os homens serão egoístas, avarentos, presunçosos, arrogantes, blasfemos, desobedientes aos pais, ingratos, ímpios, sem amor pela família, irreconciliáveis, caluniadores, sem domínio próprio, cruéis, inimigos do bem, traidores, precipitados, soberbos, mais amantes dos prazeres do que amigos de Deus, tendo aparência de piedade, mas negando o seu poder. Afaste-se desses também."*
>
> *(2 Timóteo 3:1–5)*

Sou grata por versos como esses que deixam claro que devemos evitar pessoas abusivas. Mas evitar essas pessoas no nosso dia a dia pode envolver uma grande complexidade. É impossível aplicar uma fórmula única e abrangente aos relacionamentos difíceis. São tantos os fatores que devem ser identificados que a melhor coisa a fazer é recorrer a profissionais qualificados para reconhecer o perigo e orientar as pessoas em situações de abuso a saber o que e como fazer.

Veja algumas medidas que você pode querer tomar:

- Sempre é bom conversar com pessoas sensatas e consultar mentores espirituais e amigos de confiança sobre questões da nossa vida. Veja um bom versículo para ajudar a identificar as pessoas sábias em sua vida.
- "Quem é sábio e tem entendimento entre vocês? Que o demonstre por seu bom procedimento, mediante obras praticadas com a humildade que provém da sabedoria. Contudo, se vocês abrigam no coração inveja

ALGUMAS OBSERVAÇÕES IMPORTANTES SOBRE O ABUSO

  amarga e ambição egoísta, não se gloriem disso nem neguem a verdade. Esse tipo de "sabedoria" não vem dos céus, mas é terrena; não é espiritual, mas é demoníaca. Pois onde há inveja e ambição egoísta, aí há confusão e toda espécie de males. Mas a sabedoria que vem do alto é antes de tudo pura; depois, pacífica, amável, compreensiva, cheia de misericórdia e de bons frutos, imparcial e sincera. O fruto da justiça semeia-se em paz para os pacificadores. (Tiago 3:13-18)
- Esses amigos de confiança e mentores espirituais que trazem sabedoria à nossa vida podem nos ajudar a reconhecer comportamentos que cruzam os limites e que devem ser levados ao conhecimento de um orientador profissional especializado em abuso ou, em situações mais urgentes, à atenção das autoridades.

Sua igreja também pode recomendar orientadores cristãos de confiança.

Querido amigo, saiba que você é amado, você não está sozinho e não precisa passar por isso sem ajuda. Lembre-se de que a pessoa que está infligindo tanto sofrimento precisa de uma ajuda que só profissionais qualificados podem dar. Envolver as autoridades competentes é um ato de amor, para a sua segurança e a deles.

AGRADECIMENTOS

A Art: A segunda melhor parte de cada dia é lhe dizer: "Você é o meu favorito". A primeira melhor parte é quando você me responde: "Você é a minha única". Eu amo você. É uma honra enorme viver esta mensagem com bravura ao seu lado. Obrigada por me encorajar a escrever isso tudo para enviar esta mensagem ao mundo.

A Jackson, Amanda, Michael, Hope, David, Ashley, Nick, Brooke e Mark: Vocês são os mais bravos de todos os bravos e a tripulação mais divertida para navegar pela vida. Cresci sonhando com os filhos que um dia teria. Vocês são um milhão de vezes melhores do que meus sonhos. Obrigada por sempre toparem mais um jogo em família e por admitirem que sou a campeã de Nertz (um jogo de cartas) para todo o sempre, amém. :)

A Selena, Suzy e Ryser: Vocês fazem com que ser uma avó seja a coisa mais divertida da minha vida. Adoro ver vocês vivendo tão livres, rolando de rir, cantando a plenos pulmões e saírem dançando sem pensar duas vezes. Eu amo vocês para sempre.

A Meredith, Lisa, Barb e Glynnis: Não consigo me imaginar trabalhando com uma equipe melhor do que vocês. Não tenho palavras para expressar minha gratidão pelos anos de amizade e parceria.

A Hope: Por trás de cada escritor que se atreve a reunir 60.000 palavras que fazem algum sentido há uma pessoa abnegada que mantém tudo funcionando. Obrigada por ser a pessoa que, nos bons e maus momentos, está sempre ao meu lado. É uma tremenda alegria poder chamá-la de filha e uma alegria ainda maior poder chamá-la de amiga.

A Joel: Minhas mensagens não seriam as mesmas sem seu brilhantismo teológico e as milhares de horas que passamos juntos estudando a Palavra de Deus. Obrigada por fazer com que cada pessoa que cruza seu caminho queira aprender mais sobre o Deus maravilhoso a quem servimos.

A Leah: Você sabe que, sem você, esta mensagem estaria perdida em uma bagunça de arquivos espalhadas pelo meu computador. O jeito como você cuida da logística de levar minhas palavras ao mundo é uma dádiva de Deus. E você sabe que o capítulo "Leah" de cada livro costuma ser o meu favorito.

A Shae: Você pratica a mensagem de Jesus com grande beleza em todos os sentidos. Obrigada por não me deixar desistir quando fiz a lista de razões que me impediriam de escrever este livro. Você me viu processar esta mensagem do começo ao fim e sempre aprendia algo novo para me contar. Obrigada por acreditar em mim.

A Amanda, Kristen e Taylor: Vocês são incríveis, com sua atitude de que tudo é possível e com sua enorme disposição para fazer acontecer. Como posso agradecer por tudo o que vocês investem em nossa equipe e no processo de escrever meus livros? Obrigada por se importar com esta mensagem como se fosse de vocês.

A Kimberly: Jamais me esquecerei daquela primeira carta que você me escreveu e soube que Deus tinha respondido a todas as preces que Leah e eu estávamos fazendo. Obrigada por dizer sim. Obrigada por me ajudar a organizar os estudos bíblicos para esta mensagem e por passar horas e horas ajustando o processo.

AGRADECIMENTOS

A Kaley, Madi, Riley, Alison, Kelsie, Micaela, Anna, Haley, Jenn, Meghan, Victoria, Melanie, Brittany e Meg: O gênio criativo de vocês, seu olhar artístico e sua busca apaixonada por levar beleza ao nosso trabalho e às nossas palavras me inspiram todos os dias. Obrigada por se doarem com tanta generosidade a todos os projetos que fazemos juntas. Vocês deixaram suas marcas dançando em cada parte deste livro.

A Tori: Obrigada por me livrar de ter de pensar na capa do livro. O velho ditado "não julgue o livro pela capa" deixou de ser uma preocupação para mim. Assim que vi a capa que você criou, soube que era perfeita para esta mensagem. Obrigada por representar minhas milhares de palavras e milhões de lágrimas com estilo, coragem e graça.

À minha equipe do Proverbs 31 Ministries: Vocês são incrivelmente gentis, flexíveis, trabalhadores, fiéis a Jesus e brilhantes. Todo líder sonha em trabalhar com uma equipe que executa a missão como vocês, mas a melhor qualidade de todas é a profunda atenção que vocês dedicam a cada pessoa, cada telefonema, cada pedido de ajuda e cada oportunidade de compartilhar as Boas Novas. Eu amo vocês.

Ao conselho do Proverbs 31 Ministries: Vocês são algumas das melhores pessoas que já conheci na vida. Sua sabedoria, paixão pelo Evangelho e amor pelas pessoas que precisam de Jesus me inspiram e me instigam a nunca parar de sonhar.

A Jim: Você viu além do que era e ousou pintar imagens mentais do que poderia ser. Quando esta mensagem era um sonho impossível para a mulher derrotada sentada na sua frente, você disse palavras de dignidade, cura e esperança que tocaram as profundezas da minha alma. Você é um orientador espiritual e um amigo incrível.

A Gilla: Minha brilhante professora e sábia amiga. Sou mais do que grata por tudo o que você verteu em mim e nesta mensagem. As Escrituras nunca mais foram iguais para mim depois de estudar com você. Mal posso esperar para voltar à Terra Santa para aprendermos juntas.

À minha equipe na Thomas Nelson - Jessica, Janene, Mark, Tim, Erica, Don, Laura, MacKenzie, Kristen, John: Obrigada por ser uma equipe em que posso confiar. Obrigada por nunca me deixar que me contasse com palavras que poderiam ser melhor. E obrigada por me contar como vocês foram, pessoalmente, tocados por esta mensagem. Mais do que excelentes colegas de trabalho, vocês são grandes amigos com um coração enorme.

A Meg, Doris, Jeremy, Mel e Lori: A vida com vocês é mais bela, organizada, saudável e possível. Vocês me ajudam a dar vida às minhas ideias malucas de um jeito muito especial. Obrigada por se importar tanto comigo e com minha família.

A Adam e Allen: Vocês fazem muito mais do que construir só com tijolos e cimento. Vocês criam com coração, propósito, detalhes minuciosos e amor pelas pessoas que viverão naquele espaço. Serei, eternamente, grata por vocês terem concretizado a nossa visão.

Ao Pastor e Holly, Chunks e Amy: Eu adoro a minha família da Elevation Church e sou extremamente grata por vocês mostrarem a verdade e a vida à minha família toda semana.

A Jon e Angee, Rob e Michelle, Colette e Hamp, Chris e Tammy, Wes e Laci: Não estaríamos aqui sem vocês. Vocês amaram a minha família de um jeito que eu só poderia caracterizar como lendário. Eu invadiria o inferno com uma pistola d'água com vocês ao meu lado.

AGRADECIMENTOS

A Shelley, Lisa B., Lisa H. e Christine: Amigas, irmãs, guerreiras, parceiras de oração, elevadoras de almas e doadoras de vida. Vocês me ajudaram a encontrar esta mensagem.

Às mulheres incríveis que participaram do grupo focal desta mensagem e que compartilharam corajosamente suas histórias, suas dificuldades e suas vitórias com o perdão.

Ao grupo de revisão de estudos bíblicos... Leah, Joel, Kimberly, Amanda, Wendy, Nicole e Amy: Obrigada por serem os primeiros a ler esta mensagem em sua totalidade e por se abrirem para que ela lesse vocês. O brilho nos seus olhos me ajudou a saber que tinha chegado a hora de lançar a mensagem ao mundo.

A você, meu amigo leitor. Eu preferiria muito mais conversar com você pessoalmente à minha mesa cinza em vez de nos encontrar através de letras em uma tela ou tinta no papel. Mas tudo bem por ora. Fica o convite de um dia você vir bater um papo na minha casa. Eu acredito em você e mando meu amor.

NOTAS

CAPÍTULO 2: SEJA BEM-VINDO À MESA

1. C. S. Lewis, *Cristianismo puro e simples* (s.l.: Thomas Nelson Brasil, 2017).

CAPÍTULO 4: COMO É POSSÍVEL PERDOAR QUANDO ME SINTO ASSIM?

2. Bessel van der Kolk, *O corpo guarda as marcas* (Rio de Janeiro: Sextante, 2020).

3. A imagem do sangue de Jesus cobrindo os pecados é significativa e tem raízes profundas na prática do Antigo Testamento de fazer oferendas para a expiação dos pecados (Levítico 1:4–5; 17:11). No Antigo Testamento, um animal era sacrificado e o sangue, derramado; mas, com o tempo, outro sacrifício foi necessário e mais sangue foi derramado. Em Cristo, temos o que C. S. Lewis chamou de "a grande troca". Jesus é o sacrifício final e supremo e Seu sangue é suficiente para cobrir todos os nossos pecados. Agora, quando Deus vê o fiel, Ele não vê mais os nossos pecados, mas nos vê revestidos de Cristo (Gálatas 3:27) em virtude do sacrifício de Cristo na cruz para expiar nossos pecados (Hebreus 9:12).

CAPÍTULO 6: LIGANDO OS PONTOS

4. Lysa TerKeurst, *Não era para ser assim* (Campinas: United Press, 2019).

5. J. H. Merle D'Aubigné, *History of the Great Reformation of the Sixteenth Century in Germany, Switzerland, etc.*, trad. H. White, vol. 4 (Nova York: RobertCarter, 1846), 183.

CAPÍTULO 7: CORRIGINDO OS PONTOS

6. Kat Eschner, "The Story of the Real Canary in the Coal Mine", *Smithsonian Magazine*, 30 dez. 2016, https://www.smithsonianmag.com/smart-news/story-real-canary-coal-mine-180961570/.

CAPÍTULO 10: PORQUE ELES ACHARAM QUE DEUS OS SALVARIA

7. C. H. Spurgeon, "Sorrow at the Cross Turned into Joy", in *The Metropolitan Tabernacle Pulpit Sermons*, vol. 24 (Londres: Passmore & Alabaster, 1878), 614.

CAPÍTULO 11: PERDOANDO A DEUS

8. C. S. Lewis, *Cristianismo puro e simples* (s.l.: Thomas Nelson Brasil, 2017).

CAPÍTULO 12: O PAPEL DA PERDA

9. Audrey Gordon, "A Psychological Interpretation of the Laws of Mourning", My Jewish Learning,

https://www.myjewishlearning.com/article/a-psychological-interpretation-of-the-laws-of-mourning/.

CAPÍTULO 13: A AMARGURA FAZ PROMESSAS QUE NÃO CUMPRE

10. Geerhardus Vos, "Peace", ed. James Hastings, *Dictionary of the Apostolic Church*, 2 vols., (Nova York: Charles Scribner's Sons, 1916–1918), 159.

UMA JORNADA PELO QUE A BÍBLIA DIZ SOBRE O PERDÃO

11. Charles Spurgeon, "Divine Forgiveness Admired and Imitated: A Sermon Delivered on the Lord's Day Morning, May 17th, 1885 by C. H. Spurgeon at the Metropolitan Tabernacle, Newington", no. 1841, section II, in *The Complete Works of Spurgeon*, Volume 31: Sermons 1816–1876 (Ft. Collins: Delmarva Publications, 2013).

AS PERGUNTAS MAIS FREQUENTES QUE FAZEM A LYSA SOBRE O PERDÃO

12. J. I. Packer, *Força na fraqueza: vencendo no poder de Cristo* (São Paulo: Vida Nova, 2015).

13. Darlene Lancer, "Symptoms of Codependency", site da Psych Central, 8 out. 2018, https://psychcentral.com/lib/symptoms-of-codepndency.

14. Lancer, "Symptoms of Codependency".

15. Codependents Anonymous: Patterns and Characteristics Archived 2013-08-24 at the Wayback Machine.

16. R. H. Moos, J. W. Finney e R. C. Cronkite, *Alcoholism Treatment: Context, Process and Outcome* (Nova York: Oxford University Press, 1990).

17. Glenn Affleck, Howard Tennen, Sydney Croog e Sol Levine, "Causal Attribution, Perceived Benefits, and Morbidity After a Heart Attack: An 8-Year Study", *Journal of Consulting and Clinical Psychology* 55 (1): 29–35, doi:10.1037/0022-006X.55.1.29.PMID 3571655.

PROCURE AJUDA SE PRECISAR

18. Blake Griffin Edwards, "Secret Dynamics of Emotional, Sexual, and Physical Abuse", *Psychology Today*, 23 fev. 2019, https://www.psychologytoday.com/us/blog/progress-notes/201902/secret-dynamics-emotional-sexual-and-physical-abuse.